人体内的健康密码

苗雨　编著

中国画报出版社

图书在版编目(CIP)数据

人体内的健康密码/苗雨编著. —北京:中国画报出版社,2007.7

ISBN 978-7-80220-167-5

Ⅰ.人… Ⅱ.苗… Ⅲ.①养生(中医)—基本知识②保健—基本知识 Ⅳ.R212 R161

中国版本图书馆 CIP 数据核字(2007)第 107861 号

人体内的健康密码

出 版 人:田辉

编　　著:苗雨

责任编辑:李刚

出版发行:中国画报出版社

　　　　　(中国北京市海淀区车公庄西路 33 号,邮编 100044)

电　　话:88417359(总编室)、68469781(发行部)

印　　刷:九洲财鑫印刷有限公司

监　　印:敖晔

经　　销:新华书店

开　　本:787×1092　1/16

字　　数:260 千字

印　　张:12.5

版　　次:2007 年 8 月第 1 版　　2007 年 8 月北京第 1 次印刷

书　　号:ISBN 978-7-80220-167-5

定　　价:26.80 元

前言

神医们的密码

扁鹊无论是在其生活的朝代还是在后世，都被认为是众多神医中的顶级人物。然而，我国先秦时代的《鹖冠子》一书中记载了这样一个故事：

世人知道大名鼎鼎的扁鹊的人很多，然而知道扁鹊兄长的人却很少。就此魏文王问扁鹊："你兄弟三人，皆精于医术，谁的医术最高？"扁鹊答道："论医术，我大哥最高，二哥次之，我属于最差。"

文王再问："既然这样，为什么你名扬天下，他们却声望远不及你？"

扁鹊答："我大哥治病，是治在病情发作之前，由于人们不知道他事先能铲除病因，所以他的名气根本无法传播出去；我二哥治病，是治病于病情初起之时，一般人认为他只能医治一些轻微的小病，故名声只及附近乡里；至于我，没有二位兄长的超前判断能力，只能医治于病情严重之时，但一般人却只看我穿针放血或在皮肤上做些大的手术，就认为我医术最高明，因此名气最大，远涉全国。"

以此看来，扁鹊算不得神医，真正的神医是能防患于未然，注重保养健身，以达到不生病或少生病的人。

许多人都认为没有病就是健康，小病抗一下就过去了，一定要等到病得很严重了，才觉得自己生病了，才要去医院。或认为平时的锻炼、保养都是在浪费时间——身体好好的，有什么可健身的？殊不知正是这种思想，成为人体健康杀手。在不知不觉中，自己的健康被一丝一毫地消耗着，身体得不到补充和修复，有朝一日大病突然到来，或者形成了什么慢性病，才悔之晚矣。那时候不但要花费更多的时间和金钱来就医，对自己的身体消耗也会很大，更有甚者，会危及到自己的生命。

西方医学理论是一种排异理论，人体什么部位有异常了，专门针对这个部位研究某种药或者疫苗进行治疗，再不行就动刀给割去，这种方法简单、直接、见效快，有其优点。而我国中医理论是一种养生理论，讲求的是自然和平衡。没有病的时候要对身体进行保养，有了疾病，也是讲究调养，"三分靠治，七分靠养"，这种办法看起来似乎慢一点，麻烦一点，但是对人体损害少，更有利于健康长寿。

早在《黄帝内经》中，就有关于养生于长寿的论述，提出了未病先防的预防思想。人体要顺应自然规律，才能维持正常生命活动。"逆之则灾害生，从之则苟疾不起，是谓得道。"根据四时不同，采用春养生，夏养长，秋养收，冬养藏，以及春夏养阳、秋冬养阴的方法，即以自然之道，养自然之生，取得人与自然的整体统一。

"虚邪贼风，避之有时；恬淡虚无，真气从之；精神内守，病安从来！"这是要求外避六淫之邪，内免精神刺激，情志变动，达到未病先防。

提倡"饮食有节"，维护后天脾胃之源。如"饮食自倍，脾胃乃伤"，伤则化源不足，易生百病。同时谆谆告诫人们，谨慎地调和五味，切忌偏嗜。"毒药攻邪，五谷为养，五果为助，五畜为益，五菜为充。气味合而服之，以补精益气。"这些养生理论，至今仍有借鉴价值。

进入现代社会后，随着我国经济的不断发展，社会节奏也越来越快，人们的生活水平也越来越高。但是人们的健康水平却越来越差，一方面环境污染越来越严重，直接危害人们的健康；另一方面许多人都处于一种"亚健康"的状态，总是感觉身体不适，却又找不出原因；还有中年时期的猝死率增加了，一些事业如日中天、非常成功的人，由于工作压力大，不注意保健，导致中年时期身体出问题甚至突然死亡；另外一个非常严重的问题就是我国现代社会的心理问题。这些问题有的可以通过医生来解决，有的却不是医生能解决或者不需要医生解决，而是依靠我们自身的健身保养就能够完成的。而要想正确而有效地健身保养，必须首先了解我们身体的"密码"。只有掌握了"密码"，才能够找到正确的门径，才不会用错方法。

需要特别说明的是，本书只是介绍一些养生保健的方法和饮食作息的一些注意事项，而并非医学用书，目的是让读者作为日常养生保健的参考，获得健康的生活，而不是以让读者了解如何治病为宗旨。文中有些观点可能仍为当今养生保健学界争论的焦点，特此说明，以免造成误导。

目录

第一章：系统解析——人体系统操作手册

第二章：常规密码——饮食起居与人体健康

第三章:动态密码——保健运动

第四章:分级密码——不同人群的养生特点

第五章：核心密码——心理健康

第六章：密码错误——健康保健的几大误区

第一章
系统解析——人体系统操作手册

要了解健康密码藏在人体何处，首先要了解自己的身体。人体本身是一个系统工程，五脏六腑之间互相有非常紧密的关系，这个系统工程由各种人体器官组成，各种器官又由各种细胞组成。保持健康的根本就是要清楚我们的生理结构，只有了解了各个系统和各个器官的特性，我们才能找到发病的根源和保养的要点，健康密码也就藏在这些根源和要点之中。

消化系统

消化系统由消化管和消化腺两大部分组成。消化管是一条自口腔延至肛门的很长的肌性管道,包括口腔、咽、食管、胃、小肠(十二指肠、空肠、回肠)和大肠(盲肠、结肠、直肠)等部。消化腺有小消化腺和大消化腺两种。小消化腺散在于消化管各部的管壁内,大消化腺有三对唾液腺(腮腺、下颌下腺、舌下腺)、肝和胰。

消化系统的功能是消化食物,吸收养料、水分和无机盐并排出残渣,包括物理性消化和化学性消化。物理性消化是指消化管对食物的机械作用包括咀嚼、吞咽和各种形式的蠕动运动以磨碎食物,使消化液与食物充分混合,并推动食团或食糜下移等。化学性消化是指消化腺分泌的消化液对食物进行化学分解而言,如把蛋白质分解为氨基酸,淀粉分解为葡萄糖,脂肪分解为脂肪酸和甘油等。这些分解后的营养物质被小肠(主要是空肠)吸收,进入血液和淋巴。残渣通过大肠排出体外。此外,口腔、咽等还与呼吸、发音和语言活动有关。

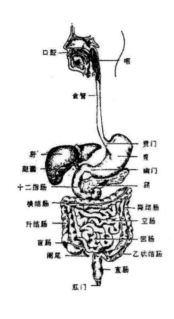

消化系统全貌

一、口腔

口腔内各器官构成及功能

口腔内有牙齿和舌,并有三对唾液腺开口于口腔粘膜表面。

1、口腔各壁

口腔各壁包括前壁、侧壁、口底、顶壁(腭)等几部分。

2、牙

牙是人体最坚硬的结构,嵌于上、下颌骨的牙槽内。呈弓状排列成上牙弓和下牙弓。牙具有机械加工(咬切、撕裂、磨碎)食物和辅助发音的作用。

(1)结构:分牙冠、牙根、牙颈三部分。

(2)组成:主要由牙本质构成,另有釉质、牙骨质和牙髓。在牙冠、牙质外面还另有光亮坚硬的釉质,牙根的表面覆有粘合质。牙内部的空腔叫牙腔或髓腔,牙根的内部叫做牙根管,牙根管末端的小孔叫牙根尖孔。牙的神经、血管通过牙根尖孔和牙根管至牙腔,与结缔组织共同组成牙髓,当牙髓发炎时常引起剧烈疼痛。

(3)牙周组织:包括牙槽骨、牙周膜和牙龈三部分。牙槽骨是牙根周围牙槽突的骨质。牙周膜是介于牙和牙槽骨之间的致密结缔组织,固定牙根,并能缓解咀嚼时的压力。牙龈是紧贴牙槽骨外面的口腔粘膜,富含血管,其游离缘附于牙颈。

(4)牙的种类和排列:第一套牙称乳牙,可分为切牙、尖牙和磨牙三类。第二套牙称恒牙,可分为切牙、尖牙、前磨牙和磨牙四类。其中乳牙共

20个,上、下颌左右各5个。恒牙共32个,上、下颌左右各8个。

人的一生中先后有两组牙萌生,第一次发生的叫乳牙,一般自生后6个月开始萌生,3岁初出齐,6-7岁开始脱落;第2次发生的叫恒牙,6-7岁起开始长出第一磨牙,13-14岁出齐并替换乳牙,第三磨牙一般在17-25岁或更晚些长出,叫做智牙,也有终生不萌出者。

(5)牙的形态特点:切牙的牙冠呈扁平凿子形;尖牙的牙冠呈锥形;前磨牙的牙冠呈立方形,咬合面上有2-3个结节,以上各牙均各有一个牙根;磨牙的牙冠大,也为立方形,咬合面上有4-5个结节,下颌磨牙有两个或三个牙根,上颌磨牙有三个牙根。

3、舌

舌是以骨骼肌为基础,表面覆以粘膜而构成。具有搅拌食物、协助吞咽、感受味觉和辅助发音等功能。

4、唾液腺

口腔内有大、小两种唾液腺。小唾液腺散在于各部口腔粘膜内(如唇腺、颊腺、腭腺、舌腺)。大唾液腺包括腮腺、下颌下腺和舌下腺三对,它们是位于口腔周围的独立的器官,但其导管开口于口腔粘膜。

口腔的卫生保健

1、常见口腔疾病的预防方法

(1)定期口腔健康检查。可达到"有病早治,无病预防"的目的,尤其对学龄儿童更为重要。一般2~12岁儿童,半年检查一次;12岁以上每年检查一次;孕妇2~3个月检查一次。

(2)纠正不良习惯。一些不良习惯,如口呼吸、单侧咬合、吮唇、咬唇、咬颊、咬指、伸舌等,都会影响口腔自然防御能力,导致牙周病、错牙合畸形等,应分析原因,及时加以纠正。

(3)合理营养。从口腔预防角度出发,合理营养应注意三点:第一,加强牙颌系统生长发育期的营养,如钙、磷、维生素A、D、C和微量元素氟的供给。第二，多吃具有适当硬度和粗糙而富纤维的食品，以利牙面清洁，增强牙周组织的防御力。第三，控制糖和精制碳水化合物的摄取，以减少致龋因素。

（4）口腔卫生。口腔卫生与口腔疾病的发生有很大关系，特别是牙周病和龋病。保持口腔卫生的方法有：漱口、刷牙、牙间洁净、牙龈按摩、消除食物嵌塞和刮除牙结石等。其中以刷牙最为重要。

刷牙能去除口腔污物、菌斑和按摩牙龈，从而减少口腔环境中的致病因素，增强牙周组织的防御能力。

刷牙要求是，将全口牙齿按上下左右分成若干区，依次洗刷，颊面、舌面、齿面都要刷到，并重复刷洗。刷牙次数，一般要求早晚刷牙，饭后漱口，每次刷牙可不少于3分钟。最好每次饭后也刷。还有人主张"三三三"制刷牙法，即每日3次，每次3分钟，刷洗三个牙面。

选择牙刷时，应根据个人口腔情况，选择大小、形态、刷毛软硬适度的牙刷，病人应在医生指导下选择。

目前我国使用的牙膏分普通牙膏、含氟牙膏、药物牙膏三大类。牙膏主要成分有洁净剂、摩擦剂、胶粘剂、芳香剂。含氟和药物牙膏是在以上基础上加入氟化物和一定药物，以期预防龋病和牙周病。

目前世界上生产的牙膏大部分为预防、治疗性药物牙膏。但由于口腔环境特殊，存在影响药物作用的多种因素，其实际效果尚不确定。另外，如长期滥用药物牙膏，还会干扰口腔生态平衡，导致菌群失调。

2、龋病预防

（1）消除有关致龋因素，改善口腔环境

菌斑是引起龋病的主要因素，因此控制菌斑，是预防龋病的重要方法之一，控制的方法有：

机械法，主要是刷牙、牙间洁净。

化学法，利用化学杀菌剂如0.2%葡萄糖酸洗必太溶液含漱，或酶制剂如葡聚糖酶抑制、干扰菌斑形成。

（2）提高牙齿抗龋能力

提高牙齿抗龋能力，主要是利用氟。氟有抑制致龋菌生长，减少菌斑内酸的形成，降低牙齿酸溶解度和促进再矿化等作用。应用方式有氟化水源,将低氟及供水系统氟含量提高适当浓度,来预防龋病;口服氟片;用含氟牙膏;牙面涂氟;氟化物溶液漱口,等等。

(3)隔绝致龋因素对牙齿的侵袭

常用的方法是利用窝沟封闭剂,封闭牙齿的点隙裂沟。

(4)控制致龋菌利用产酸的作用物

通过限制蔗糖及其制品的摄入,或在食品中加入糖代品(甜味剂),可减少龋病的发生。

二、咽

咽是一个上宽下窄、前后略扁的漏斗形肌性管,上端附着于颅底,下端平环状软骨弓(第6颈柱下缘平面)续于食管,全长约12厘米。咽壁由粘膜、粘膜下膜、肌膜和外膜组成。

对于咽喉的保健,要注意正确的说话方式,避免大声喊叫;长时间说话后,不要吃冷饮,因为此时咽喉部组织呈急性充血状态,若大量进食冷饮,会造成咽喉部血管收缩,喉部的血流减慢,引起咽喉生理功能紊乱和局部免疫功能下降,极易发生急性咽喉炎,出现声音嘶哑、咽喉肿痛等症状。

如果出现嗓子干燥、异物感和声音嘶哑,可含服一些润喉药品,有条件者可做雾化吸入,可以从根本上消除喉部炎症;少食辛辣刺激食物,多食清淡、清凉的食物。另外,患伤风感冒要及时治疗,注意室内的和环境卫生。

三、食管

食管的构成

食管是一个前后压扁的肌性管,位于脊柱前方,上端在第 6 颈椎下缘平面与咽相续,下端续于胃的贲门,全长约 25 厘米,依其行程可分为颈部、胸部和腹部三段。

食管具有消化管的典型四层结构,由粘膜、粘膜下膜、肌膜和外膜组成。食管空虚时,前后壁贴近,粘膜表面形成 7-10 条纵行皱襞,当食团通过时,肌膜松弛,皱襞平展。食管肌膜由外层纵行、骨层环行的肌纤维组成。肌膜上 1/3 为横纹肌,下 1/3 为平滑肌,中 1/3 横纹肌和平滑肌相混杂,食管起端处环行肌纤维较厚,可起到括约肌作用。外膜为疏松结缔组织。整个食管管壁较薄,仅 0.3-0.6 厘米厚,容易穿孔。

食管的保养

食管是我们人体的"第一通道",然而其重要性却往往被人们忽视。事实上近期食管癌的发病年龄有低龄化的趋势,35 岁以下的青年人患病明显增多,占发病总人数的 30%。35%-50% 的食管癌患者与不良的饮食和生活习惯有关。因此,保养食道是值得重视的:

(1)平时吃东西时要细嚼慢咽,不吃过热、偏硬,制作粗糙的食物;

(2)当心鱼刺、鸡骨等物对食道的损害;

(3)戒烟酒;慎用药,如四环素、阿莫西林、氯化钾、去痛片等如果用法不当也会对食道有一定的损害。

(4)饮食不当,尤其是新鲜水果、蔬菜和动物蛋白摄入不足,进食腌制、霉变等含有亚硝胺、硝酸盐和亚硝酸盐及含有真菌毒素的食物,容易使食管癌的发病率增高。

在您阅读胃肠健康密码之前,请先做个简单的测试。根据最近三个月的身体状况,看看是否符合自己的情况,检查是否患了胃肠病。

健康自测:胃肠病

1. 常感食物堵塞胸口迟迟不下
2. 烧心、吐酸水
3. 饭后常打嗝,口臭明显
4. 经常呕吐
5. 经常腹痛或心窝痛
6. 大便呈黑色(如柏油样)
7. 虽无便秘,但大便细短,或扁平便
8. 反复出现腹泻或便秘
9. 便中混血

评析:

上述情况出现一项的,需注意肠胃保养,保险起见可以到医院进行检查。

若出现2-6项的,需要接受胃部X射线检查。

若出现7-9项的,一定要接受全面肠道检查。

胃肠疾病是发病率最高的疾病之一,几乎每个人的一生都会得上这类疾病,所以,千万不要小瞧"胃酸"、"肚子疼"这类小毛病。

四、胃

胃是消化管的最膨大部分,由食管送来的食团暂时贮存胃内,进行部分消化,到一定时间后再送入十二指肠,此外胃还有内分泌的机能。

胃壁由粘膜、粘膜下膜、肌膜和浆膜四层构成。粘膜上皮为柱状上皮。上皮向粘膜深部下陷构成大量腺体(胃底腺、贲门腺、幽门腺),它们的分泌物混合形成胃液,对食物进行化学性消化。粘膜在幽门处由于覆盖幽门括约肌的表面而形成的环状皱襞叫幽门瓣。

为保养好胃及其消化功能,我们平时应做到以下几点:

(1)进食要定时、定量、定餐,以保证胃有规律地收缩、蠕动、排空及分泌消化液,这不仅有利于胃的消化功能,还能防止溃疡病和胃炎的发生。

(2)进食前可适当喝口汤或水,但不能过多,这对促进消化液的分泌,帮助消化有益。

(3)为保证良好的食欲和消化功能,饭前不要吃零食。

(4)进食时情绪要放松,要少说话,要细嚼慢咽,避免粗糙食物对胃的机械性损伤。

(5)进食后应喝一些汤或水,一方面可以冲洗口腔、食道和胃,另一方面也有利于食物和消化液的混合,对消化有益。

(6)饭后不要立刻做剧烈运动,否则可使消化道的血流量减少,影响消化。

(7)不要吸烟。吸烟可引起幽门括约肌松弛,胆汁容易反流入胃内,而高浓度的胆盐对胃黏膜是一种化学性损害,可引起胆汁反流性胃炎。

五、小肠

肠是消化管中最长的一段,成人全长约5-7米。小肠是食物消化、吸收的主要部位,盘曲于腹腔内,上连胃幽门,下接盲肠,全长约3-5米,分为十二指肠、空肠和回肠三部分。

小肠分层结构:其管壁由粘膜、粘膜下层、肌层和浆膜构成。其结构特点是管壁有环形皱襞,粘膜有许多绒毛,绒毛根部的上皮下陷至固有层,形成管状的肠腺,其开口位于绒毛根部之间。绒毛和肠腺与小肠的消化和吸收功能关系密切。

小肠腺的结构与功能:构成肠腺的细胞有柱状细胞、杯状细胞、潘氏细胞和未分化细胞。柱状细胞和内分泌细胞与绒毛上皮相似,接近绒毛的柱状细胞与吸收细胞相似,绒毛深部的柱状细胞微绒毛少而短,不形成纹状缘,有人认为有分泌作用。

六、大肠

大肠是消化管最后的一段,长约1.5米,起自右髂窝,终止于肛门,可分为盲肠、结肠和直肠三段。大肠的主要机能是吸收水分,将不消化的残渣以粪便的形式排出体外。

盲肠是大肠的开始部,位于右髂窝内,左接回肠,上通升结肠。在盲肠的后内壁伸出一条细长的阑尾，其末端游离，一般长 6-8 厘米，内腔与盲肠相通，它是盲肠末端在进化过程中退化形成的。

结肠围绕在空回肠的周围，可分为升结肠、横结肠、降结肠和乙状结肠四部分。

直肠位于盆腔内，全长约 15-16 厘米，从第 3 骶椎平面贴骶尾骨前面下行，穿盆膈终于肛门，盆膈以下的一段又叫肛管，长约 3-4 厘米。环形肌在肛管处特别增厚，形成肛门内括约肌。肛门内括约肌的周围有横纹肌构成的肛门外括约肌围绕，括约肌收缩可阻止粪便的排出。

七、肝

多坐少动的工作方式和社交应酬活动的增多，使营养过剩的现象日趋严重，酒精肝炎、脂肪肝、肝硬化、肝癌的发病率也逐渐提高，另外各种肝炎病毒对肝脏的损害也是不容忽视的，保肝护肝极为重要。

下面的测试题可以让您知道自己的肝脏是否健康。

健康自测：肝脏病

根据最近三个月的身体状况，看看有几项符合自己的情况，平时多量饮酒或时常接触农药的人应经常检查。

1. 浑身无力，易疲倦
2. 食欲减退
3. 厌吃油腻食物
4. 经常恶心

5. 不想饮酒或酒易醉

6. 腹胀,消化不良

7. 易出荨麻疹

8. 眼睛和皮肤发黄

评析:

上述症状出现一项,如症状持续,需到医院检查。

出现两项以上的,需及时就诊。

　　肝脏在许多方面均发挥着非常重要的作用,医学专家形象地喻之为人体内的"巨型化工厂"。肝脏的功能如此之多,对人体如此重要,也就造成了肝脏负担十分之重,而且肝脏一旦出现问题,人体内毒素堆集,消化系统紊乱,就真的是百病丛生了。而且现代社会中,许多人由于饮酒、暴饮暴食等不良习惯的影响,也加重了肝脏的负担。所以对于肝脏的保养,显得尤为重要起来。

　　肝是人体中最大的腺体,成人的肝约重 1.5kg。肝的功能极为复杂、重要,它是机体新陈代谢最活跃的器官,参与蛋白质、脂类、糖类和维生素等物质的合成、转化与分解。此外,激素、药物等物质的转化和解毒、抗体的生成以及胆汁的生成与分泌均在肝内进行。胚胎时期,肝还是造血器官之一。

肝脏的功能

　　一是代谢功能。我们每天吃进大量食物,食物中的蛋白质、脂肪、糖类以及维生素,必须先到肝脏进行化学处理,变成人体需要的养分,再供生命活动所需。如果没有肝脏的辛劳,人体内的几百个大大小小的器官就会"饿死"。

　　二是解毒功能。人体代谢过程中要产生部分有害废物,加上混入水与食物中的毒物与毒素,必须经过肝脏解毒。可以说,肝脏是人体最大的解毒器官,只要肝脏功能正常,你就不必忧虑会有毒素在体内残留或中毒。时下不是流行种种排毒法吗?其实,保护好肝脏,维护其功能于正常状态,才是真正的排毒之道。如果没有肝脏的把关,人体组织与器官就会被毒素所淹没而使人丧命。

三是免疫功能。肝脏是人体内最大的防御系统，拥有一支强大的"健康卫士"队伍，通过吞噬、隔离和消除入侵和内生的种种致病原，从而保障健康。肝功能不好的人之所以易与多种疾病结缘，奥妙就在这里。

此外，肝还有胆汁生成和排泄，凝结血液以及调节水盐代谢等生理作用。

肝脏的保养

保肝护肝是人们生活水平不可缺少的，在日常生活中，我们应该注意以下几点：

（1）肝质软而脆，呈红褐色。受到暴力打击时容易破裂引起大出血，所以要注意肝部保护，不要受大的冲击。

（2）均衡饮食，以主食为主，多吃蔬菜和水果。

（3）不吃不洁净的食物，尤其是霉变的花生以及没有腌制好的酸菜。

（4）避免过多的食用动物油和肥肉；烹调尽量少用油，即便是好油，如橄榄油也不要过量。疲倦时不吃油炸物。

（5）不要酗酒，不要空腹喝酒，空腹喝酒更容易吸收乙醛。

（6）吃烧烤时不要吃直接与炭火接触的食物，其含有的致癌物比电烤和加铁板烧烤的要多；另外，一些防腐剂、添加物、色素、人工甘味等，均对肝脏危害比较大。

（7）腌制食品容易微生物污染，会伤肝。可适当补充 B 族维生素和矿物质，如多吃谷类食物。

（8）饭后喝茶易得脂肪肝：现在人们经常在酒足饭饱后要喝杯茶，这很不利于脂肪肝的预防。吃荤的之后不要立即喝茶。

（9）能引起肝损害的药物至少在 200 种以上，其中不乏我们非常熟悉的药物，如阿司匹林、螺旋霉素、口服避孕药等。所以肝脏不好者在用药前一定要向医生询问或者阅读药品说明，小心这些药伤了你的肝肾。

（10）不生食（完全熟食）亦不利肝。青菜生吃或煮三分或五分熟，炒过的青菜当天吃完，不要隔夜吃。

（11）避免发怒、急躁等状态。中医认为发怒会使肝火上升，对肝脏不利。

（12）合理的作息时间。晚间 11 点~凌晨 1 点，肝的排毒需在熟睡中进行。凌晨 1 点~3 点，是胆的排毒时间。晚睡晚起会扰乱整个排毒过程。

八、胰

胰是人体的第二大腺，横跨在第一、二腰椎的前面，质地柔软，呈灰红色，可分为头、体、尾三部。胰液中含有多种消化酶，对消化食物起重要作用。内分泌部是指散在于外分泌部之间的细胞团——胰岛，它分泌的激素直接进入血液和淋巴，主要参与糖代谢的调节。

呼吸系统

由于呼吸器官具有巨大生理功能的储备能力，平时只需 1/20 肺呼吸功能便能维持正常生活，故肺的病理变化，平时常不能如实反映；呼吸系统疾病的咳嗽、咳痰、咯血、胸痛、气急等症状缺乏特异性，常被人们误为感冒、气管炎等。待发展到肺气肿、肺心病，发生呼吸衰竭才被重视，但为时已晚，其病理和生理功能已难以逆转。

所以平时我们要多注重自己呼吸系统的细微变化，经常给自己做个诊断。

健康自测：肺和支气管疾病

请根据最近三个月的身体状况，看看有几项符合自己的情况，多量吸烟者和老年人也要这样做,可以知道是否患有肺和支气管疾病的危险。

1. 经常咳嗽
2. 痰多
3. 嗓子发紧,痰缠喉咙
4. 气喘
5. 呼吸困难,呼吸时嗓子里发"吱吱"或"嗖嗖"声
6. 易感冒
7. 连续低烧盗汗

评析:

出现 1 项症状:即使有一项也要注意,如有持续症状,为慎重起见,应做一次 X 线胸部检查。

出现 2 - 3 项症状:建议您向医生咨询。

出现 4 项及 4 项以上:建议您应尽早请医生详细检查。

近年来,由呼吸系统疾病引起的死亡率在城市排到第四位,农村则高居首位。感冒咳嗽在大部分人眼里都是小病,能拖就拖。而大气污染、吸烟、人口老龄化及其他因素,使国内外的呼吸系统疾病的发病率、死亡率有增无减。这说明呼吸系统疾病危害人类日益严重,如未予控制,日后将更为突出。以下的呼吸系统健康密码让您的呼吸更健康!

呼吸系统是执行机体和外界气体交换的器官,由呼吸道和肺两部分组成。呼吸道包括鼻腔、咽、喉、气管和支气管,临床上将鼻腔、咽、喉叫上呼吸道,气管和支气管叫下呼吸道,呼吸道的壁内有骨或软骨支持以保证气流的畅通。肺主要由支气管反复分支及其末端形成的肺泡共同构成,气体进入肺泡内,并与肺泡周围的毛细血管内的血液进行气体交换。人吸入空气中的氧气,氧气透过肺泡进入毛细血管,通过血液循环,输送到全身各个器官组织,供给各器官氧化过程的需要,各器官组织产生的代谢产物如 CO_2 再经过血液循环运送到肺,然后经呼吸道呼出体外。

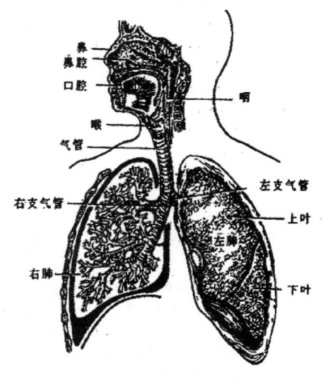

鼻腔
口腔
咽
喉
气管
左支气管
右支气管
上叶
左肺
右肺
下叶

呼吸系统全貌

呼吸系统的构成

鼻

鼻是呼吸道的起始部分，能净化吸入的空气并调节其温度和湿度，它也是嗅觉器官，还可辅助发音。鼻包括外鼻、鼻腔和鼻旁窦三部分。

1.外鼻

外鼻是指突出于面部的部分,由骨和软骨为支架,外面覆以皮肤构成。鼻尖和鼻翼处的皮肤较厚,富含皮脂腺和汗腺,与深部皮下组织和软骨膜连接紧密,容易发生疖肿,故发炎时,局部肿胀压迫神经末梢,可引起较剧烈疼痛。

2.鼻腔

鼻腔以骨性鼻腔和软骨为基础,表面衬以粘膜和皮肤而构成。鼻前庭是指由鼻翼所围成的扩大的空间,内面衬以皮肤,生有鼻毛,有滞留吸入的尘埃的作用,此外皮肤与软骨膜紧密相贴,所以发生疖肿时,疼痛剧烈。

3.鼻旁窦

鼻旁窦由骨性鼻旁窦表面衬以粘膜构成,鼻旁窦粘膜通过各窦开口与鼻腔粘膜相接。鼻旁窦对发音有共鸣作用,也能协助调节吸入的空气的温度和湿度。由于鼻腔和鼻旁窦的粘膜相连通,鼻腔炎症可引起鼻旁窦发炎。

喉

喉是呼吸道,也是发声器官。发出的声音女性略高于男性、小儿略高于成人。

气管和支气管

气管和支气管均以软骨、肌肉、结缔组织和粘膜构成。软骨为"C"字形的软骨环,缺口向后,各软骨环以韧带连接起来,环后方缺口处由平滑肌和致密结缔组织连接,保持了持续张开状态。管腔衬以粘膜,表面覆盖纤毛上皮,粘膜分泌的粘液可粘附吸入的空气中的灰尘颗粒,纤毛不断向咽部摆动将粘液与灰尘排出,以净化吸入的气体。

左、右支气管从气管分出后,斜向下外方进入肺门。两支气管之间的夹角约为65°-85°。左支气管细而长,比较倾斜;右支气管短而粗,较为陡直。因而异物易落入右支气管。

肺

肺是以支气管反复分支形成的支气管树为基础构成的，位于胸腔内纵隔的两侧，左右各一。肺的主要功能是促进气体交换和维持机体内环境稳态（即通气反应）。精细地通气调节目的就是控制动脉血液中的 PH/PCO_2 和确保到达组织的血含有足够的氧。

在中医理论中，肺不仅仅是一个呼吸器官。一方面，由呼吸功能延伸出去产生了"肺主气"的概念，认为肺主气的大本营，起到主一身之气的作用。所以《素问·六节脏象论》说："肺者，气之本。"另一方面，肺对人体水液代谢有极重要的调节作用，这与肺气的运动方式有关，故形成了"肺主通调水道"的概念。认为肺是脏腑中位置最高的一个器官，参与调节体内水液代谢，所以唐容川《血证论·脏腑病机论》说："小便虽出于膀胱，而实则肺为水之上源。"可见肺的重要性。

胸膜

胸膜是一层薄而光滑的浆膜，具有分泌和吸收等功能，分别覆被于左、右肺的表面，胸廓内表面、膈上面和纵隔外侧面。贴在肺表面的胸膜叫脏胸膜，贴在胸廓内表面，膈上面和纵隔外侧面的胸膜叫壁胸膜，脏胸膜和壁胸膜在肺根处互相延续，形成左、右侧两个完全封闭的胸膜腔。

呼吸系统的保养

1、生活起居要有规律，保证充足睡眠，坚持锻炼身体；特别是年老体弱者不能不动，应参加一些力所能及的锻炼和活动，对健肺强体、延缓衰退、预防患病有益。

2、秋季气温由热转凉时，昼热晚凉，应做到"早卧早起"，早睡以避晚凉，早起以吸纳新鲜空气。还应适度"秋冻"，不要急于多添衣服，注重耐寒锻炼，以增强心肺对天气变化的适应能力。

3、祖国医学认为：肺是娇脏，喜润恶燥；然而秋燥最易犯肺，伤津耗液。故秋季宜多吃生津增液的食物，如梨、藕、香蕉、苹果、银耳、百合、萝卜以及蜂蜜、豆浆等；凡辛热麻辣、煎烤熏炸等食物，宜少吃或不吃。

4、外出旅游、活动，注意勿过度劳累，要安排好日程，劳逸结合；同时防范淋雨受凉，导致机体抵抗力下降而感冒或罹患肺炎。

5、有慢性支气管炎、支气管哮喘、肺结核等病的患者，还应遵照医嘱按时服药，以免旧病复发和加重。

循环系统

循环系统是封闭的管道系统，它包括心血管系统和淋巴管系统两部分。心血管系统是一个完整的循环管道，它以心脏为中心，通过血管与全身各器官、组织相连，血液在其中循环流动；淋巴管系统则是一个单向的回流管道，它以毛细淋巴管盲端起源于组织细胞间隙，吸收组织液形成淋巴液，淋巴液在淋巴管内向心流动，沿途经过若干淋巴结，并获得淋巴球和浆细胞，最后汇集成左、右淋巴导管开口于静脉。

循环系统的主要机能是：

一、把机体从外界摄取的氧气和营养物质送到全身各部，供给组织进行新陈代谢之用，同时把全身各部组织的代谢产物，如 CO_2、尿素等，分别运送到肺、肾和皮肤等处排出体外，从而维持人体的新陈代谢和内环境的稳定；

二、它还将为数众多的与生命活动调节有关的物质（如激素）运送到相应的器官，以调制各器官的活动；

三、淋巴系是组织液回收的第二条渠道，既是静脉系的辅助系统，又是抗体防御系统的一环。

一、心脏

心脏的构成和作用

心脏位于胸腔的纵膈内，膈肌中心腱的上方，夹在两侧胸膜囊之间。其所在位置相当于第 2-6 肋软骨或第 5-8 胸椎之间的范围。整个心脏 2/3 偏在身体正中线的左侧。

心脏是循环系统中的动力。人的心脏如本人的拳头，外形像桃子，位于横膈之上，两肺间而偏左。主要由心肌构成，有左心房、左心室、右心房、右心室四个腔。左右心房之间和左右心室之间均由间隔隔开，故互不相通，心房与心室之间有瓣膜，这些瓣膜使血液只能由心房流入心室，而不能倒流。

心脏的作用是推动血液流动，向器官、组织提供充足的血流量，以供应氧和各种营养物质，并带走代谢的终产物（如二氧化碳、尿素和尿酸等)，使细胞维持正常的代谢和功能。体内各种内分泌的激素和一些其他体液因素，也要通过血液循环将它们运送到靶细胞，实现机体的体液调节，维持机体内环境的相对恒定。此外，血液防卫机能的实现，以及体温相对恒定的调节，也都要依赖血液在血管内不断循环流动，而血液的循环是由于心脏"泵"的作用实现的。

成年人的心脏重约 300 克，它的作用是巨大的，例如一个人在安静状态下，心脏每分钟约跳 70 次，每次泵血 70 毫升，则每分钟约泵 5 升血，如此推算一个人的心脏一生泵血所做的功，大约相当于将 3 万公斤重的物体向上举到喜马拉雅山顶峰所做的功。

此外，下列结构对保证心脏正常活动也具有重要作用：①心传导系统，它是由特殊的心肌纤维所构成，能产生并传导冲动，使心房肌和心室肌协调地规律地进行收缩。从而维持心收缩的正常节律。②心脏的血管，心脏的动脉为发自升主动脉的左、右冠状动脉，其静脉最终汇集成冠状静脉窦开口于右心房。供给心脏本身的血液循环叫冠状循环。

心脏的养护

在阅读心脏健康密码之前，请您根据最近三个月的身体状况，看看有几项符合自己的情况；另请注意一年要做上几次检查，以防患上最可怕的疾病之一——心脏病。

健康自测：心脏病

1. 上坡或上台阶时气喘吁吁，呼吸困难
2. 脉搏变快
3. 有脉搏中断现象
4. 上坡时或工作中有时胸中憋闷难受
5. 血压升高
6. 脚腿经常浮肿
7. 口唇、指甲呈青紫色
8. 颈静脉怒张

评析：

上述症状如果出现一项，建议及早做一次心电图检查，如果出现三项以上，就必须到医院检查一次了。

心脏对于人体的重要性已经不需多说，心脏在人体内的位置类似于汽车的发动机，这里一旦出了问题，就直接会危及人的生命了。所以平时要注意下列问题，以避免各种心脏疾病：

1.控制体重

研究表明：体重增加 10%，胆固醇平均增加 18.5%，冠心病危险增加 38%；体重增加 20%，冠心病危险增加 86%，有糖尿病的高血压病人比没有糖尿病的高血压病人冠心病患病率增加 1 倍。

2.戒烟

烟草中的烟碱可使心跳加快、血压升高（过量吸烟又可使血压下降）、心脏耗氧量增加、血管痉挛、血液流动异常以及血小板的粘附性增加。这些不良影响，使 30-49 岁的吸烟男性的冠心病发病率高出不吸烟者 3 倍，而且吸烟还是造成心绞痛发作和突然死亡的重要原因。

3.戒酒

美国科学家的一项实验证实乙醇对心脏具有毒害作用。过量的乙醇摄入能降低心肌的收缩能力。对于患有心脏病的人来说，酗酒不仅会加重心脏的负担，甚至会导致心律失常，并影响脂肪代谢，促进动脉硬化的形成。

4.改善生活环境

污染严重及噪音强度较大的地方，可能诱发心脏病。因此应改善居住环境，扩大绿化面积，降低噪音，防止各种污染。

5.避免拥挤

避免到人员拥挤的地方去。无论是病毒性心肌炎、扩张型心肌病，还是冠心病、风心病，都与病毒感染有关，即便是心力衰竭也常常由于上呼吸道感染而引起急性加重。因此尤其是在感冒流行季节，要注意避免到人员拥挤的地方去，以免受到感染。

6.合理饮食

应有合理的饮食安排。高脂血症、不平衡膳食、糖尿病和肥胖都和膳食营养有关，所以，从心脏病的防治角度看营养因素十分重要。原则上应做到"三低"，即：低热量、低脂肪、低胆固醇。

7.适量运动

积极参加适量的体育运动。维持经常性适当的运动,有利于增强心脏功能,促进身体正常的代谢,尤其对促进脂肪代谢,防止动脉粥样硬化的发生有重要作用。对心脏病患者来说,应根据心脏功能及体力情况,从事适当量的体力活动,这有助于增进血液循环,增强抵抗力,提高全身各脏器机能,防止血栓形成。但也需避免过于剧烈的活动,活动量应逐步增加,以不引起症状为原则。

8.规律生活

养成健康的生活习惯。生活有规律,心情愉快,避免情绪激动和过度劳累。

9.心态平和

情绪与健康之间存在着千丝万缕的联系。无论对什么年纪的人来说,不良的情绪都是非常不利的。人的情绪一旦紧张、激动,会使得交感神经兴奋,儿茶酚胺增加,结果使心跳加快,血压升高,心肌耗氧量亦明显增加,加重冠心病、心衰患者的病情。更严重的是,这些变化有时会导致致死性的心律失常,引起心脏骤停。

10.按时服药

有心脏病的人不能等到发作时才去医院,平时就要坚持服药。只有常服药,才是控制病情的最佳手段。冠心病人身边都应该常备一盒养心药品,例如麝香保心丸等,这是一种常服才能发挥最大效果的药物,只有常服才能改善心血管机能,逆转心脏肥厚,保护心脏功能,降低心绞痛的发生率。

二、血管

血管系的形成和作用

人体血管包括动脉、静脉和毛细血管。血管系由起于心室的动脉系和回流于心房的静脉系以及连接于动、静脉之间的网状的毛细血管所组成。动脉是将血液带出心脏的血管,静脉是将血液带回心脏的血管,毛细血管是连于动脉与静脉之的间管径极细、管壁极薄的血管。

其中,动脉口径逐渐变细,分大、中、小 3 种动脉。管壁内有丰富的弹力纤维和平滑肌。其结构与其功能密切相关(血液的连续流动、血压的形成)。静脉管壁较薄,弹力纤维和平滑肌不发达,但口径较粗,是血液的贮存库。毛细血管管径细小、管壁薄,仅有一层内皮细胞。血液在其中的流动缓慢,有利于物质的交换。

血液由心室射出,经动脉、毛细血管、静脉再环流入心房,循环不已。整个过程在密闭的环状管道内进行,连续的流动包括两个循环。第一个循环是体循环:心脏(左心室)→动脉→毛细血管→静脉→心脏(右心房)。特点是路程长,把营养物质和氧气输送至全身各处,并把代谢产物运送回心脏。第二个循环是肺循环:心脏(左心室)→肺动脉→肺→肺静脉→心脏(右心房)。特点是路程短,把静脉血转变为含氧多的动脉血。

血管的保养

保持血管弹性、柔性及良好的伸缩性,这对维持人体血液"运输线"畅通无阻、避免心脑血管病的发生具有重要作用。下面介绍一些改善血管状态的食物:

鱼:富含甲硫氨酸、赖氨酸、脯氨酸及牛黄氨酸等优质蛋白的鱼类,有改善血管弹性、顺应性及促进钠盐排泄作用。此外,富含 W-3 多不饱和脂肪酸的鱼油有保护血管内皮细胞、减少脂质沉积及改善纤溶功能。

精氨酸：富含精氨酸补肾益精食物有助调节血管张力、抑制血小板聚集的血管舒张因子一氧化氮的合成，减少血管损伤。这类食物有海参、泥鳅、鳝鱼及芝麻、山药、银杏、豆腐皮和葵花子等。

叶酸：若膳食中缺乏叶酸及维生素 B_6 和维生素 B_{12}，会使血液中高半胱氨酸水平升高，易损伤血管内皮细胞、促进粥样硬化斑块形成，而补充叶酸对降低冠心病和中风的发病率有重要作用。专家建议中老年人尤其是心血管病人，应注意多摄食富含叶酸的食物，如红苋菜、菠菜、龙须菜、芦笋、豆类、酵母发酵食物及苹果、柑桔等。

天然抗凝与祛脂食物：摄食此类食物有助减少心肌梗塞与缺血性中风。抑制血小板聚集、防止血栓形成的黑木耳及含吡嗪类物质如大蒜、洋葱、青葱、茼蒿、香菇、龙须菜及草莓、菠萝也有一定的抗凝作用。番茄、红葡萄、桔子中含少量类似阿司匹林水杨酸抗凝物质。祛脂食物有螺旋藻、香芹、胡萝卜、山楂、紫菜、海带、核桃及橄榄油、芝麻油等。

三、淋巴系

淋巴系包括淋巴管道、淋巴器官和淋巴组织。在淋巴管道内流动的无色透明液体，称为淋巴。淋巴结、脾、胸腺、腭扁桃体，舌扁桃体和咽扁桃等都属于淋巴器官。

1.淋巴系统的结构和分布特点

(一)淋巴管道

淋巴管道分为毛细淋巴管、淋巴管、淋巴干、淋巴导管。

(1)毛细淋巴管：是淋巴管道的起始段，以膨大的盲端起始。

(2)淋巴管：由毛细淋巴管汇合而成，管壁与静脉相似，外形呈串珠状。

（3）淋巴干：由淋巴管汇合形成。

（4）淋巴导管：有两条，胸导管（左淋巴导管）和右淋巴导管。

(二)淋巴器官

淋巴器官包括淋巴结、扁桃体、脾和胸腺。

（1）淋巴结：扁圆形或椭圆形小体，成群聚集，多沿血管分布，淋巴结的主要功能是滤过淋巴液，产生淋巴细胞和浆细胞，参与机体的免疫反应。

（2）脾是体内最大的淋巴器官，同时又是储血器官，并具有破坏衰老的红细胞、吞噬致病微生物和异物，产生白细胞和抗体的功能。

（3）胸腺。

胸腺是造血器官，能产生淋巴细胞，并运送到淋巴结和脾脏等处。

2.淋巴系的功能

（1）回收蛋白质。每天约有 75~200 克蛋白质由淋巴带回血液，使组织间液蛋白质浓度保持在较低水平。

（2）运输脂肪和其他营养物质。由肠道吸收的脂肪 80%~90% 是由小肠绒毛的毛细淋巴管吸收。

（3）调节血浆和组织间液的液体平衡。

（4）淋巴流动还可以清除因受伤出血而进入组织的红细胞和侵入机体的细菌，对动物机体起着防御作用。

泌尿系统

泌尿系统由肾、输尿管、膀胱和尿道组成。它的主要功能是排出尿液。机体内溶于水的代谢产物如尿素、尿酸和多余的水分以及被破坏的激素、毒素和药物等物质,它们经循环系统运送至肾、在肾内形成尿液,再经输尿管道排出体外。

肾不仅是排泄器官,它对维持体内电解质平衡也有重要作用。

中医历来强调肾脏对人体生命活动的重要性,因肾精能化气,气能生神,神能御气、御形,故精是形气神的基础。而肾病不单单是针对男性的,据调查,全国近 5000 万女性肾虚。

现如今的生活整天忙忙碌碌,很容易忽视自己的肾脏健康。先看看您是否有以下的情况呢?

健康自测:肾病

1.将少许尿液倒入一杯清水中,水是否仍很清净。是　否

2.在正常饮水情况下,您是否夜尿在 3 次以上?是　否

3.是否小便无力,滴滴答答,淋漓不尽?是　否

4.早晨起床,是否眼睛浮肿?是　否

5.不提重物,您走到三楼就两腿无力吗?是　否

6.坐在椅子上看电视,超过两个小时就感到腰酸吗?是　否

7.在厨房做饭,站立时间超过一个小时,就感到两腿发软吗?是　否

8.是否总想闭目养神,不愿思考问题,注意力不集中呢?是　否

9.洗头时,是否有头发大量脱落?是　否

10.是不是总感到有困意,却睡不着;好不容易睡着了,又睡睡醒醒?

　　　　　　　　　　　　　　　　　　　　　是　否

评析:

选"是"得 1 分,选"否"得 0 分。

若您回答的在 1 ~ 3 分之间,那么您的肾功能良好,但也不能掉以轻心。

若您回答的在 3 分以上您就很可能是肾虚,要非常注意啊!

肾作为人体一个重要的器官,是人体赖以调节有关神经、内分泌、免

疫等系统的物质基础。肾是人体调节中心,肾是人体的生命之源,它主管着生长、发育、衰老死亡的全过程。肾脏保护工作,势在必行!

泌尿系统的结构及作用

1、肾

肾脏是实质性器官,位于腹后壁脊柱两旁。左右各一,形似蚕豆。新鲜肾呈红褐色。肾的大小各人不同,正常成年男性肾重约 134~148g,男性略大于女性肾,肾的内侧缘中部凹陷,称肾门。肾门向肾内部凹陷成一个较大的腔隙,称肾窦,由肾实质围成,窦内含有肾动脉、肾静脉的主要分支和属支、肾小盏、肾大盏、肾盂以及淋巴管和神经等结构。肾的表面自内向外有三层被膜包绕,即纤维膜、脂肪囊和肾筋膜。肾的正常位置依靠肾被膜、肾血管、肾的邻近器官、腹内压等来维持其固定状态,肾的固定装置不健全时,肾的位置可移位。

肾脏的主要功能是:

(1)通过生成尿液,排泄体内的代谢产物;

(2)维持体内水、电解质和酸碱平衡;

(3)产生多种激素,参与调节血压、造血等生理活动;

(4)将维生素 D 活化成有活性的,这样可以有效促进骨骼的发育。

2、输尿管、膀胱、尿道

(1)膀胱

膀胱为锥体形囊状肌性器官,位于小骨盆腔的前部。为一贮存尿液的器官,成人膀胱容量为 300~500ml 尿液。

膀胱壁由三层组织组成,由内向外为粘膜层、肌层和外膜。肌层由平滑肌纤维构成,称为逼尿肌,逼尿肌收缩,可使膀胱内压升高,压迫尿液由尿道排出。在膀胱与尿道交界处有较厚的环形肌,形成尿道内括约肌。在括约肌收缩时能关闭尿道内口,防止尿液自膀胱漏出。

(2)输尿管

输尿管是细长的肌性管道,长约 20~30cm,直径 0.5~0.7cm,上端与肾盂相连,在腹后壁沿脊柱两侧下行,进入小骨盆,下端在膀胱底的外上方斜行插入膀胱壁,开口于膀胱。在开口处有粘膜褶皱,膀胱充满时由于膀胱内压力上升,输尿管开口因受压力而关闭,可以防止尿液向输尿管倒流。输尿管壁由三层组织组成,由内向外为粘膜、平滑肌层和外膜。输尿管平滑肌有缓慢地收缩和舒张的蠕动,使尿液向膀胱方向推进。

(3)尿道

尿道是从膀胱通向体外的管道。男性尿道细长,兼有排尿和排精功能。女性尿道粗而短。男性尿道在尿道膜部有一环行横纹肌构成的括约肌,称为尿道外括约肌,由意识控制。女性尿道在会阴穿过尿生殖膈时,有尿道阴道括约肌环绕,该肌为横纹肌,也受意志控制。

泌尿系统的保健

(1)不可长时间憋尿。泌尿系统的感染,与个人的生活习惯、饮食方式有很大的相关性,而憋尿是造成此问题最大的元凶。尿液中有许多人体多余的养分,细菌可以利用这些剩余物资生长繁殖,细菌的生长能力惊人,稍不注意就会聚集到足以发作的数量。借由小便的动作,不仅可将暂留于膀胱的废物排出体外,亦可借由尿液的冲洗,使尿道细菌数量减少。

(2)补充足够的水分。水分是一种最好的消炎剂,多喝水可以稀释发炎物质的浓度,也可以冲洗掉附着于膀胱壁与尿道中的细菌。当然,多喝水只是一个小动作,最主要的是:要排得出来、量要够多才有效。如果尿量不足以达到"冲刷"效果的话,累积在体内的水分,反而是种负担。适当使用一些天然利尿剂,例如西瓜汁、玉米须汤、紫花苜蓿,可以协助您顺利排出多余水分。

(3)建立防护系统

泌尿系统的防护,最传统有效的莫过于蔓越橘,也就是原称的鹤梅。蔓越橘中含有一些保护性的物质,可以在泌尿管壁上形成一道保护膜,这些物质可破坏细菌的附着器,使细菌无法附着于泌尿管壁的细胞上造成危害,进而可借由尿液的冲刷排出体外。

生殖系统

生殖系统的功能是产生生殖细胞,繁殖新个体、分泌性激素和维持副性征。生殖系统有男性和女性两类。按生殖器所在部位,又分为内生殖器和外生殖器两部分。

一、男性生殖系统

男性生殖系统的构成和功能

男性生殖系统包括内生殖器和外生殖器两个部分。内生殖器由生殖腺(睾丸)、输精管道(附睾、输精管、射精管和尿道)和附属腺(精囊腺、前列腺、尿道球腺)组成。外生殖器包括阴囊和阴茎。

睾丸:主要功能是产生精子和分泌男性激素。

附睾:主要功能是促进精子发育和成熟,以及贮藏和运输精子。

输精管:具有很强的蠕动能力,管壁肌肉很厚,主要功能是运输和排泄精子。

精囊:主要功能是分泌一种粘液,在射精后提供精子活动的主要能源;它既不产生精子,也不贮藏精子。

精索:主要功能是将睾丸和附睾悬吊于阴囊之内,保护睾丸和附睾不受损伤,同时随着温度变化而收缩或松弛,使睾丸适应外在环境,保持精子产生的最佳条件,并使睾丸具有不随意活动的控制力。

射精管:主要功能是射精。

前列腺:主要功能是分泌前列腺液,前列腺液在精囊液之后射出,也是精液的组成成分之一(约占精液 13%~32%),扩增了的精液,有利于精子的射出。

尿道:主要功能是排泄尿液和精液,是尿液和精液的共同通道。

阴囊:主要功能是调节温度,保持睾丸处于恒温环境(35℃左右)。

阴茎:主要功能是排尿、排精液和进行性交,是性行为的主要器官。

男性生殖系统的保健

"生殖健康"的正式定义为:"人类及其个人在整个生命过程中,其涉及与生殖有关的一切活动,均应在生理、心理和社会诸方面处于完好的健康状态。"可见男性的生殖健康与女性同样重要,都是维护人类健康重要的环节之一。

(1)心理上要注意:尤其是青春期的孩子,都会有一些萌动的情欲,能够正确处理好这个心理上的波动,对其未来的性生活有很大的好处。作为父母,对于孩子发育期的心理问题进行压制和回避都是不能解决问题的,必须正确地给其以必要的知识教育和引导,避免造成其心理上或生理上的疾病。

(2)注意睾丸的保护:睾丸是男性的重要生殖器官,其主要功能是产生精子、产生雄性激素,其功能是否正常,决定着男性成人后有无正常的性功能和正常的生育能力。除了成年男性平时注意睾丸的保护外,有些生殖疾病,事实上在幼年时期就已经存在,父母应当建立这方面的保护意识,及早发现,及时治疗。另外,在日常生活中,也要避免硬物撞击或者过热的洗澡水对睾丸的损害等。

(3)保持生殖卫生:年轻人新陈代谢旺盛,所以阴部的汗腺分泌也旺盛,因此要注意个人卫生,勤洗澡,勤换内衣裤,保持阴部的干爽清洁。有条件的可以每天进行温水坐浴,促进阴部的血液循环,减少炎症的发生。

(4)尽量少穿紧身裤:保持阴部的松弛,利于身体的发育。

(5)良好的生活习惯:经常抽烟的男性不育的概率是从不吸烟男性的3倍,研究发现,戒烟两个月后,男性的精子质量会得到改善提高。另外,美国亚特兰大的科学家发现,当男性暴食的时候,其精子的质量便会受到损害。这是因为从大量食物中摄入过多的脂肪等营养物质,会令精子的温度升高而使之受损。

(6)食品保健:一些健康食品,如番茄、南瓜子、大枣、胡萝卜等,被认为对男性保健具有很好的作用。

二、女性生殖系统

女性生殖系统的构成及功能

女性生殖系统包括内生殖器和外生殖器两个部分。内生殖器由生殖腺(卵巢)、输卵管道(输卵管、子宫、阴道)和附属腺(前庭大腺)组成。外生殖器即女阴。

外生殖器包括：

大阴唇:由两个皮肤褶皱含皮脂腺与汗腺组成。

小阴唇:由两个结缔组织皱皱覆盖。

阴蒂:相当于男性阴茎,含勃起性组织。

前庭:是一个杏仁形区域,介于小阴唇之间,阴道、尿道开口于其间。

处女膜:为一层薄的结缔组织膜,将阴道开口的部分覆盖。

内生殖器包括：

阴道:阴道是连接内外生殖器官的管道,它是男女性交的接受器,接受男性精液的注入。同时是生产时胎儿产出的产道。此外,阴道是子宫分泌物与经血的排泄道。

子宫是唯一中空的肌肉器官,其功能为:(1)月经:子宫内膜的致密层与海绵层剥落,血液从其撕裂的血管流出所造成的现象。一般以28-30天为周期。(2)怀孕:胎儿着床于子宫内膜,并在子宫生长直到生产。(3)分娩:是指子宫肌肉规律地进行强有力的收缩,自然把胎儿产出的过程。

输卵管:作为卵巢的导管,使卵子能通过它到达子宫。此外,正常受精一般在输卵管发生。

卵巢:卵巢为女子的性腺,其主要功能为排卵及分泌女性激素。成熟的卵细胞从卵巢表面排出,经腹膜腔进入输卵管,在管内受精后移至子宫内膜发育生长。每个月都有千个滤泡被刺激而生长,成熟后逐渐移行至卵巢的表面,然后破裂,并将卵子送入输卵管内,余下的滤泡则被刺激成为黄体。黄体在月经末期之前开始退化,并逐渐转变成白色疤状的物体,称为白体。在这个过程里,发育中的卵巢滤泡分泌动情素,黄体则分泌黄体素,二者皆为女性荷尔蒙。

女性生殖系统的保健

(1)清洁:对生殖器官内外进行适当清洁,可以有效预防妇科炎症。卫生固然要注意,但是过勤地冲洗,用碱性过强的皂液或市场上出售的妇女清洗液清洗,反而会破坏阴道自身的免疫系统,给病毒侵入造成机会。所以,一般的健康妇女,每一至两天用温水清洗外阴就可以了。

(2)改善与调理:调节性激素分泌,从而改善女性生殖系统衰老问题。调理内分泌,治疗经期综合症,调理经期不适状况,推迟更年期,延缓衰老,提高机体免疫功能,增强机体抗衰老能力,预防骨质疏松、脱发等。这些调理可以通过一些药物辅助完成,也可以通过饮食如吃一些小米、乌骨鸡、豆腐及豆制品、芹菜、红枣等来完成。

(3)定期检查:女性每隔一段时间最好到医院做一下定期检查,如果感到身体不适或者发现问题,更应该及早到医院治疗,而不应该以羞于启齿为借口延误病情。

(4)良好的心态。妇科疾病的原因是多方面的。精神紧张、工作压力大,常服用抗生素、月经期长、患糖尿病,妊娠期等的女性都是妇科疾病的易感人群而许多白领女性尽管生活条件很好,卫生习惯也正确,但是过度的紧张和焦虑使身体免疫力下降,细菌会趁虚而入。所以,学会放松并调整心态,激发自身免疫功能,也是预防妇科疾病的重要方法。

内分泌系统

人体的腺体可分为有管腺和无管腺两大类。有管腺又叫外分泌腺，其分泌物需经导管排出，如消化腺、汗腺；无管腺又叫内分泌腺，它由腺细胞为主体组成，有丰富的血管和淋巴管分布，没有腺导管，其分泌物叫激素，直接进入血管和淋巴管内，借循环系统到全身，对机体或某些特定器官的活动或细胞的代谢过程起重要的调节作用。

1、甲状腺。甲状腺分泌甲状腺素，能增进机体的物质代谢，促进机体的生长和发育。

2、甲状旁腺。甲状旁腺分泌甲状旁腺素，主要功能为调节钙、磷代谢。

3、肾上腺。肾上腺实质可分为内层的髓质和外层的皮质。皮质分泌的激素主要是调节代谢；髓质分泌的激素主要作用于心血管系统。

4、（脑）垂体。垂体分泌多种激素，功能也很复杂。

5、松果体。松果体分泌的激素与调节代谢和其他一些内分泌腺的作用有关，特别是与抑制性腺的发育有关。

6、胰岛。胰岛分泌胰岛素，其主要功能是调节糖代谢，降低血糖水平。

7、性腺有男女之别。男性睾丸内的间质细胞分泌雄激素；女性卵巢内卵泡成熟过程中分泌雌激素，排卵后形成的黄体分泌孕激素。上述性激素都可刺激生殖器官发育，促进第二性征出现。

神经系统

　　神经系统是人体内由神经组织构成的全部装置，是机体内起主导作用的系统，主要由神经元组成。内、外环境的各种信息，由感受器接受后，通过周围神经传递到脑和脊髓的各级中枢进行整合，再经周围神经控制和调节机体各系统器官的活动，以维持机体与内、外界环境的相对平衡。神经系统具有重要的功能。一方面它控制与调节各器官、系统的活动，使人体成为一个统一的整体。另一方面通过神经系统的分析与综合，使机体对环境变化的刺激做出相应的反应，达到机体与环境的统一。神经系统对生理机能调节的基本活动形式是反射。人的大脑的高度发展，使大脑皮质成为控制整个机体功能的最高级部位，并具有思维、意识等生理机能。神经系统发生于胚胎发育的早期，由外胚层发育而来。

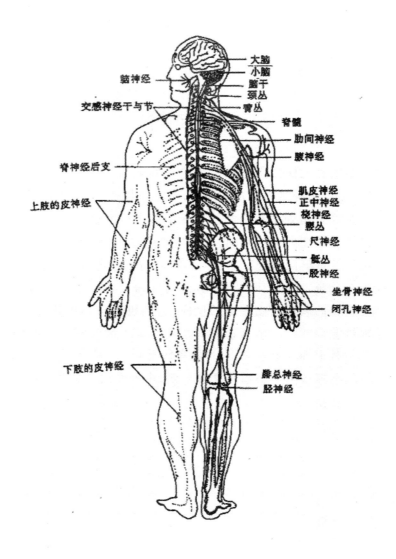

脑神经
大脑
小脑
脑干
颈丛
交感神经干与节
臂丛
脊髓
肋间神经
腋神经
脊神经后支
肌皮神经
正中神经
桡神经
上肢的皮神经
腰丛
尺神经
骶丛
股神经
坐骨神经
闭孔神经
下肢的皮神经
腓总神经
胫神经

神经系统全貌（背面观）

一、神经系统的构成及功能

神经系统由中枢神经系统和遍布全身各处的周围神经系统两部分组成。

1、中枢神经系统

中枢神经系统包括脑和脊髓,分别位于颅腔和椎管内,是神经组织最集中、构造最复杂的部位。存在有控制各种生理机能的中枢。

中枢神经系统包括位于颅腔内的脑和位于椎管内的脊髓。

(一)脑是中枢神经系统的头端膨大部分,位于颅腔内。人类的大脑皮质在长期的进化过程中高度发展,它不仅是人类各种机能活动的高级中枢,也是人类思维和意识活动的物质基础。

(二)脊髓是神经系统的重要组成部分,是周围神经与脑之间的通路。也是许多简单反射活动的低级中枢。来自四肢和躯干的各种感觉冲动,通过脊髓的上行纤维束,包括传导浅感觉,即传导面部以外的痛觉、温度觉和粗触觉的脊髓丘脑束、传导本体感觉和精细触觉的薄束和楔束等,以及脊髓小脑束的小脑本体感觉径路。脊柱外伤时,常合并脊髓损伤。严重折脊髓损伤可引起下肢瘫痪、大小便失禁等。

2、周围神经系统

周围神经系统包括各种神经和神经节。其中同脑相连的称为脑神经,与脊髓相连的为脊神经,支配内脏器官的称植物性神经。各类神经通过其末梢与其他器官系统相联系。

脊神经借前后根与脊髓相连,分布于躯干和四肢。脑神经与脑相连,主要分布于头面部。内脏神经的传入和传出纤维随脑神经和脊神经分布于内脏、心血管和腺体。

（1）脑神经

脑神经是指与脑直接联系的周围神经。

脑神经主要支配头、颅部器官和部分内脏器官的活动：

· 嗅神经将嗅觉冲动传入大脑。

· 视神经传导视觉冲动入间脑。

· 动眼神经损伤可出现伤侧眼睑下垂，眼球不能向上、向内、向下运动。眼球处于外斜视位。同时瞳孔变大，对光反射消失。病人可出现复视。

· 滑车神经受损伤时，将产生内斜视和复视。

· 三叉神经是混合神经，但以感觉纤维为主。三叉神经有两个根：①三叉神经运动根，②三叉神经感觉根。三叉神经感觉根在颞骨岸部的三叉神经压迹处膨大成扁平的半月神经节，感觉细胞体均在节内。自节发出三个大支，分别叫眼神经、上颌神经和下颌神经。三叉神经运动根与下颌神经一起从卵圆孔出颅，并构成下颌神经的运动纤维，主要组成前干，支配咀嚼肌等。

· 展神经主要含躯体运动纤维，始于展神经核，支配外直肌。展神经损伤，表现为眼球外展受限。

· 面神经是混合神经，由两个根组成：一是运动根，另一是感觉根，支配面部表情肌的运动和味觉。

· 位听神经由蜗神经和前庭神经组成。属躯体传入纤维，向大脑传入听觉和平衡觉冲动。

· 舌咽神经是混合神经。

· 迷走神经是混合神经，迷走神经所含内脏传入、传出纤维最多，躯体传入、传出纤维很少。由于迷走神经分布范围广，分支多，其功能分别与吞咽、发音、呼吸、消化、心脏密切相关。

· 副神经主要是躯体运动纤维，支配斜方肌和胸锁乳突肌，副神经损伤，将引起同侧肩下垂和斜颈。

· 舌下神经主要是躯体运动纤维，起于舌下神经核，支配全部舌肌和部内分舌外肌。

（2）脊神经共 31 对，颈 8 对、胸 12 对、腰 5 对、骶 5 对、尾 1 对，经椎间孔出椎管。脊神经出椎间孔后即分为前后两支,其中含有感觉和运动神经纤维。后支分布于背部皮肤肌肉。第 2~12 对胸神经前支按肋骨与胸椎的节段分布,称为肋间神经(其中第 12 胸神经前支称肋下神经)。下 6 对胸神经前支最后分布于腹前壁,故胸膜炎时肋间神经受刺激可出现腹痛症状。其余脊神经的前支相互联系构成四个神经丛:颈丛、臂丛(主要分支有正中、桡、尺神经,分布到上肢)、腰丛、骶丛。

坐骨神经是腰骶丛分布到下肢去的最大分支。脊神经支配脑神经支配范围以外的身体各部。躯体神经又叫随意神经,主要分布于体表和随意肌即骨骼肌。

(3)植物性神经又叫非随意神经,是支配内脏器官的平滑肌、心肌和腺体的神经。主要分布于内脏、血管、心脏、腺体以及其他平滑肌。

它包括交感神经和副交感神经两部分。副交感神经起自脑干和脊髓骶部,交感神经起自脊髓胸腰段。脑部的副交感纤维随动眼、迷走等脑神经一起发出。动眼神经内的副交感纤维支配缩瞳肌。迷走神经内含有大量的副交感神经纤维,分布到颈、胸、腹等重要脏器。交感和副交感神经往往先组成神经丛攀附脏器或血管而分布。许多脏器具有交感神经与副交感神经双重支配,两者的作用常为既拮抗又协调,共同维持脏器的正常活动。

二、神经系统的作用方式

神经系统在调节机体的活动中,对内、外环境的刺激所作出的适当反应,叫做反射。反射是神经系统的基本活动方式。

反射活动的形态学基础是反射弧,包括感受器→传入神经元(感觉神经元)→中枢→传出神经元(运动神经元)→效应器(肌肉、腺体)五个部分。只有在反射弧完整的情况下,反射才能完成。

三、神经系统的保养

神经系统可以说是人体中最复杂、最精密的系统了,同时也十分的脆弱。神经系统一旦出了问题,不仅会影响人身体的各项机能,而且往往难以治疗。所以在日常生活中,对于神经系统的保养也就显得十分重要了。

1、积极参加体育运动和体力劳动

体育锻炼能提高呼吸及心血管的功能,这对保证大脑氧气供给,有很好的作用。人体各个器官系统协调、统一地活动,是在神经系统的调节下实现的。而体育运动和体力劳动要求各个器官系统的生理活动更加密切地配合,因此,这样就会加强对神经系统的锻炼,促进神经系统的功能进一步完善。

经过长期体育锻炼的人,不仅肌肉发达,收缩有力,而且神经系统的功能也得到加强,因而使动作的速度、灵活性和对各种外界刺激的适应能力等都得到了明显的提高。此外,参加体育运动和体力劳动,还能促进新陈代谢,从而改善脑的营养,使脑的功能增强,思维和记忆能力得到发展。

2、定时作息,不要打破人体生物钟

合理安排作息制度,就是把学习、工作、体育运动、休息和睡眠等的时间作合理的安排。严格遵守作息制度,实行一段时间以后,就容易形成以时间为信号的条件反射,养成有规律的生活习惯。这样,学习时集中精力学习,工作时集中精力工作,睡眠时也容易入睡。生活有规律,对学习、工作和保护神经系统以及整个身心健康都很有益处。

3、充足睡眠，让大脑休息好

神经系统疲劳了，应该有充分的休息，以利于功能的恢复，提高工作效率。积极的休息是用一种活动替换另一种活动。例如学习之后，下棋、唱歌或进行体育运动(如早操、课间操等)和体力劳动，都可以使大脑皮层各部分得到交替活动和休息。此外，睡眠几乎对整个大脑皮层和某些皮层以下的中枢有保护性抑制的作用，经过睡眠可以使脑的功能得到最大限度的恢复。特别是儿童和青少年，神经系统的功能发育还不十分完善，更应该保证有充足的睡眠，每天睡眠的时间应该在 9 小时以上。

睡眠对大脑是一种生理休整，白天累一天，一夜酣睡后，大脑皮层消除了疲劳，人会感到头脑清醒、精力充沛、身心愉快。近年还发现睡眠能促进记忆，因为在睡眠时，脑内蛋白质合成快，生长激素分泌增多，这些有助于记忆的提高。相反，睡眠不足，往往使人精神萎靡不振，脾气暴躁，食欲降低，身体健康和学习效率都要受到影响。

4、注意科学用脑

根据大脑皮层神经中枢(功能区)不同，我们在进行任何一项活动时，大脑皮层只有相应部分的神经中枢处于兴奋的工作状态，其他部分则处于抑制即休息状态。每当工作发生变化时，大脑各功能区也轮替休息。

因此，要特别注意以下两方面：

(1)善于用脑。注意劳逸结合，动静交替，还要变换脑力活动的内容。此外，要在课后及时复习，强化所学知识在大脑皮层中的作用，这比过一段时间以后再复习效果要好。

(2)勤于用脑。注意遇事多想多问，先想后问，这样能使神经系统充分发挥作用，使人的思维更敏捷，记忆更深刻。此外，还要多参加课外活动，多接触大自然和社会，以开阔眼界，增长智慧。

5、要保持心态平衡

不要过于喜、怒、忧、思、悲、恐、惊。

情绪紧张可源自许多事情：工作压力、人际关系、经济问题、孤独、人群、交通阻塞。由于今日世界的复杂、繁忙，每个人或多或少皆有紧张的经验。长期的紧张来自于引起焦虑的状况一直未获纾解。例如,三餐不继或无家可归的人,或精神、身体受创伤的人,都易受困于极度紧张、焦虑的情绪。如果产生这些症状的紧张与焦虑未被善加处理,则可能引发更严重的疾病。曾有研究指出,当脑部处于不佳状况时,它将分泌过量的亲肾上腺物质激素。此荷尔蒙抑制白血球此抗菌细胞的制造。

6、适当多吃点营养神经的食物

神经营养药物多以维生素为主,可多吃素菜。另外,核桃、花生、腰果含有不饱和脂肪酸,对脑部营养有很好的补充作用。

7、不吸烟,少饮酒

吸烟、饮酒对神经系统的有害影响较大。烟中的烟碱(如尼古丁)等毒物,对神经系统有损害,并通过神经系统使血管收缩,血流缓慢。长期吸烟,还能使人的记忆力和注意力降低。青少年正处在生长发育的时期,更不应该吸烟。酒中含有酒精,酒精除对心脏、血管等有害外,饮酒多了,会使脑处于过度兴奋或麻痹状态,进而引起神经衰弱和智力减退,对学习和工作都会有很大影响。

四、感觉器官简介

1、感觉器官

机体通过感受器接受内、外界环境各种刺激,并把刺激能量转变为神经冲动,经感觉神经传到中枢神经,建立机体与内、外环境间的联系。感受器根据所在部位和所接受刺激的来源,可分为三类:①内脏感受器,分布于内脏和血管等处,接受来自内脏、血管等内环境的刺激(如压力、化学、温度、渗透压等)。②本体感受器,分布于肌肉、肌腱、关节等处,接受运动的刺激。③外部感受器,分布于体表或与外界接触的部位,接受外环境的刺激(如温、痛、触、压、光、声、嗅、味等)。

感受器的结构简繁不一,简单者如分布于皮肤、粘膜等处的游离神经末梢,感受痛刺激。较复杂者由感受神经末梢及一些细胞或组织共同形成感受小体,如真皮内接受触觉的触觉小体,皮下组织内接受压觉的环层小体等。此外,最复杂的是除末梢感受器外,还具有许多辅助装置共同形成特殊的感受器官。重要的感觉器官有:

视器位于眶内,由眼球及其辅助装置组成。眼球主要感受光波的刺激,经视神经传入脑。

位听器包括听器和位觉器两部分。这两部分机能上虽然不同,而结构上难以分割开。位听器由外耳、中耳和内耳三部分组成。外耳和中耳是波传导的装置,内耳前部的蜗管接受声波刺激;中、后部为接受位觉刺激的椭圆囊、球囊和半规管。位听器经前庭蜗神经将冲动传导至脑。

嗅器位于鼻腔后上部粘膜内,感受空气中气味的刺激,经嗅神经传至脑。

味器即味蕾,人类的味器主要分布于舌粘膜上的菌状乳头和轮廓乳头内,少数分布于软腭、咽和会厌处的粘膜,经面神经、舌咽神经等传至脑。

2、耳部的日常防护

(1)防止冻伤及外伤。耳壳暴露于头颅两侧,除耳垂外均为可动软骨及皮肤构成,供血不良,冬春季节及寒冷地区容易发生耳廓冻伤,应注意保护。发生外伤性鼓膜穿孔后,切忌冲洗或滴药,应以消毒棉球堵塞耳道口,内服消炎药。扎耳针、囊肿穿刺或扎耳眼时,一定要严格消毒,无菌操作,以免发生骨膜炎。

(2)纠正挖耳不良习惯。耳道内有皮脂腺、耵聍腺及毳毛等,常附有病菌。有些人喜用发夹、火柴、手指等挖耳,造成外耳道皮肤损伤,感染后易发生脓肿及软骨膜炎。挖耳时被别人碰撞极易引起鼓膜破裂,感染后引起中耳炎,影响听力。

(3)防止蚁蝇昆虫入耳。夏天小孩在室外乘凉睡觉时,常有小昆虫、蜈蚣等误入耳道;中耳炎患者耳朵流脓有腥臭味,易引诱苍蝇入耳。一旦发生可用油类或麻药滴耳,让其窒息死亡,然后再取出,并根据病情进行治疗,以免感染引起炎症及耳聋。

(4)游泳时预防水呛入耳鼻。游泳时耳道灌水后,可将头偏向一侧并跳动数次,水可自动流出。游泳时嬉戏、跳水或潜水时,鼻腔进水发生咳呛,经耳咽管进入中耳腔,易引起中耳炎。没有掌握游戏要领者最好不要做跳水及潜水动作,中耳炎鼓膜穿孔者更应慎重。

(5)婴幼儿喂奶,饮水防止咳呛。婴幼儿之耳咽管短、粗、直且位置低。故喂奶饮水时不能操之过急,头位不要太低,否则易发生咳呛,若分泌物和奶液经耳咽管进入中耳腔,极易引起中耳腔感染,日后影响听力。

(6)防止噪音及爆震性耳聋。长期在噪声环境中(噪音大于 85 分贝)工作的人可致感音神经性耳聋;爆震声或大气压剧变,可引起内耳损害造成耳聋。预防办法是降低声源强度,远距离或在间隔屏障外操作,有条件者使用消声器、排音器和吸音器;还可佩戴耳塞,减少工作时间或调离噪声环境。

(7)预防药物毒性耳聋。目前得知药物及化学制剂物质能致耳聋者至少有 90 余种,药物致聋更为常见。常见致聋药物有卡那霉素、庆大霉素、硫酸链霉素及新霉素等。特别是幼小儿童及年老体弱者更易引起耳聋。药物毒性耳聋如能早期发现,经过积极治疗,尚能恢复部分听力,若至晚期大多不能治愈。药物毒性耳聋主要是预防。对幼小儿童禁用或慎用上述药物,急需使用时亦应按药典规定,决不能超过剂量。治疗时要仔细观察患儿对响声的反应,或作客观听力检测,如声导抗、听诱发电位、耳蜗电图、听脑干反应及耳声发射等。

(8)锻炼身体防止呼吸道疾病。要经常锻炼身体,增强抵抗力及免疫力,防止呼吸道疾病的发生。上呼吸道传染病,如流感、百日咳、猩红热等,极易诱发急性卡他性中耳炎、化脓性中耳炎、迷路炎等,严重者可引起耳聋。

(9)有病及时治疗。耳部任何部位的病变都可能造成程度不同、时间长短不一的耳聋,如耵聍栓、耳道脓肿、中耳炎、突发性耳聋等,都应该及时治疗,尽量减少听力损害。有些全身性疾病如流行性腮腺炎、流脑、败血症、白血病以及再生障碍性贫血等,都会损害听力。在治疗原发病的同时注意保护听力,及时去耳科检查治疗。

3、眼睛的日常保养

（1）养成良好的习惯。不在强烈的或太暗的光线下看书、写字。读写姿势要坐端正，眼与书之间要保持30厘米以上的距离。不可弯腰驼背、靠得很近或趴着看东西，这样易造成睫状肌紧张过度而引起疲劳，进而造成近视。不躺着看书。乘车走路时不看书。用眼时间不可太长，每一小时左右休息片刻为佳。

（2）睡眠不可少，作息有规律。睡眠不足身体和眼睛易疲劳，易造成假性近视。

（3）不要长时间观看电视节目、操作电脑或对着其他有辐射的屏幕。

（4）多做户外运动。经常眺望远处放松眼肌，防止近视，与大自然多接触，青山绿野有益于眼睛的健康。

（5）注意防止眼外伤，异物入眼要用正确的方法处理。眼睛里落了东西千万不要揉，可以用打呵欠等方法使眼泪流出，让泪水把落进眼里的东西冲掉。如果这一方法没有效果，可以翻开眼皮（或拉开眼皮），用蘸上凉开水的干净手帕或纱布，把落进眼里的东西轻轻擦掉。擦的方向以向眼皮外缘或大眼角为宜。如果擦不掉，或是硬物扎进眼球，应当尽快到医院处理。如果农药、油等溅到眼里，应尽快用清水冲洗，并到医院诊治。

（6）不用手揉眼睛，不用脏手帕或脏毛巾擦眼睛。不与他人共用毛巾、脸盆等浴具。

（7）不可直视太强的光线，如太阳（尤其是在正午）和电焊光，以免烧伤眼睛。

（8）营养摄取应均衡。注意补充一些对眼睛有益的营养，应特别注意维生素B类（胚芽菜、麦片、酵母）的摄取。

运动系统

运动系统的构成及功能

运动系统由骨、骨连接和骨骼肌三种器官组成。骨以不同形式(不动、微动或可动)的骨连接联结在一起,构成骨骼,形成了人体体形的基础,并为肌肉提供了广阔的附着点。肌肉是运动系统的主动动力装置,在神经支配下,肌肉收缩而牵拉其所附着的骨,以可动的骨连接为枢纽,产生杠杆运动。

运动系统顾名思义首要的功能是运动。人的运动是很复杂的,包括简单的移位和高级活动如语言、书写等,都是以在神经系统支配下肌肉收缩而实现的。

运动系统的第二个功能是支持,包括构成人体体形、支撑体重和内部器官以及维持体姿。

运动系统的第三个功能是保护,众所周知,人的躯干形成了几个体腔:颅腔保护和支持着脑髓和感觉器官;胸腔保护和支持着心、大血管、肺等重要脏器;腹腔和盆腔保护和支持着消化、泌尿、生殖系统的众多脏器。这些体腔由骨和骨连接构成完整的壁或大部分骨性壁;肌肉也构成某些体腔壁的一部分,如腹前、外侧壁,胸廓的肋间隙等,或围在骨性体腔壁的周围,形成颇具弹性和韧度的保护层,当受外力冲击时,肌肉反射性地收缩,起着缓冲打击和震荡的重要作用。

一、骨

骨是以骨组织为主体构成的器官，是在结缔组织或软骨基础上经过较长时间的发育过程(骨化)形成的。成人骨共 206 块，依其存在部位可分为颅骨、躯干骨和四肢骨等。

骨的构造主要有骨质、骨膜、骨髓等。

骨组织的细胞间质由有机质和无机质构成，有机质由骨细胞分泌产生，约占骨重的 1/3，其中绝大部分(95%)是胶原纤维，其余是无定形基质，即中性或弱酸性的糖胺多糖组成的凝胶。无机质主要是钙盐，约占骨重的 2/3，主要成分为羟基磷灰石结晶，是一种不溶性的中性盐，呈细针状，沿胶原纤维的长轴排列。有机质与无机质的比例随年龄增长而逐渐变化，幼儿骨的有机质较多，柔韧性和弹性大，易变形，遇暴力打击时不易完全折断，常发生柳枝样骨折。老年人有机质渐减，胶原纤维老化，无机盐增多，因而骨质变脆，稍受暴力则易发生骨折。

骨膜由致密结缔组织构成，被覆于除关节面以外的骨质表面，并有许多纤维束伸入于骨质内。骨膜富含血管、神经，通过骨质的滋养孔分布于骨质和骨髓。骨膜的内层和骨内膜有分化成骨细胞和破骨细胞的能力，以形成新骨质和破坏、改造已生成的骨质，所以对骨的发生、生长、修复等具有重要意义。老年人骨膜变薄，成骨细胞和破骨细胞的分化能力减弱，因而骨的修复机能减退。

骨髓是柔软的富于血管的造血组织，隶属于结缔组织，存在于长骨骨髓腔及各种骨骨松质的的网眼中。在胚胎时期和婴幼儿期，所有骨髓均有造血功能，由于含有丰富的血液，肉眼观呈红色，故名红骨髓。约从 6 岁起，长骨骨髓腔内的骨髓逐渐为脂肪组织所代替，变为黄红色且失去了造血功能，叫做黄骨髓。

二、骨连接

人体骨和骨之间借助于结缔组织、软骨或骨连接起来。从连接形式上可分为直接连接(不动连接)和间接连接(可动连接,关节)两种。

其中直接连接分韧带连接、软骨结合、骨结合三种。

间接连接也就是关节,关节一般由相邻接的两骨相对形成,如有三个以上的骨参加构成的叫做复关节。关节的基本构造有关节面、关节囊、关节腔几部分,另外其辅助结构有韧带、关节盘、关节唇、滑膜襞等。

关节的结构体现出关节既具有灵活性因素又具有稳固性因素,二者在保证关节运动功能的实现中统一起来。

三、骨骼肌

运动系统的肌肉属于横纹肌,由于绝大部分附着于骨,故又名骨骼肌。每块肌肉都是具有一定形态、结构和功能的器官,有丰富的血管、淋巴分布,在躯体神经支配下收缩或舒张,进行随意运动。肌肉具有一定的弹性,被拉长后,当拉力解除时可自动恢复到原来的程度。肌肉的弹性可以减缓外力对人体的冲击。肌肉内还有感受本身体位和状态的感受器,不断将冲动传向中枢,反射性地保持肌肉的紧张度,以维持体姿和保障运动时的协调。

运动系统的保健

1、补充营养。营养是骨、骨骼肌生长及强健的基础。多食富含蛋白质、维生素 A 及钙、磷等矿物质的食物,可促进骨的生长和加强肌肉力量及韧性。

2、加强锻炼。体育锻炼可促进骨和骨骼肌的发育,使骨增强坚固性、抗力性、灵活性;使肌肉粗壮,收缩有力。因此应有针对性地选用力量性、技巧性等方面的体育项目进行锻炼。

3、良好的举止习惯。保持良好的坐立行姿势,能预防脊柱弯曲,促进人体各部骨和肌肉的健康发育。

4、自我卫生监督,注意体育锻炼卫生;注意劳动卫生;注意预防运动外伤,如骨折、脱臼、扭伤等;早期诊断和及时治疗关节疼痛、肿物等。

皮肤系统

这是指由皮肤、毛发、指甲/趾甲、汗腺及皮脂腺所组成,覆盖体表的器官。按照传统分类来讲,皮肤并不单属于任何系统,因为其承担了多项系统的功能,例如,皮肤中的神经属于神经系统,皮肤中汗腺属于内分泌系统等等。

皮肤的构造与功能

皮肤是微酸、微湿、柔软、结实而富有弹性的,有抵抗疾病的能力,皮肤的三个特点是:1、人体最大的器官;2、活的细胞组织;3、有自愈的功能。

皮肤主要由水、蛋白质、脂肪酸和无机盐组成,其中水和蛋白质占了较大的比例,皮肤好像是水中的胶状物。皮肤本身具有多种功能,它具有保护、感觉、调节、分泌、吸收、代谢和呼吸功能。

1、保护功能

皮肤覆盖在人体表面,表皮各层细胞紧密连接。真皮中含有大量的胶原纤维和弹力纤维,使皮肤既坚韧又柔软,具有一定的抗拉性和弹性。皮下组织疏松,含有大量脂肪细胞,有软垫作用。皮肤可以阻绝电流,皮肤的角质层是不良导体,对电流有一定的绝缘能力,可以防止一定量电流对人体的伤害。皮肤的角质层和黑色素颗粒能反射和吸收部分紫外线,阻止其射入体内伤害内部组织。皮脂腺能分泌皮脂,汗腺分泌汗液,两者混合,在皮肤表面形成一层乳化皮肤膜,可以滋润角质层,防止皮肤干裂。汗液在一定程度上可冲淡化学物的酸碱度,保护皮肤。皮肤表面的皮脂膜呈弱酸性,能阻止皮肤表面的细菌、真菌侵入,并有抑菌、杀菌作用。

2、感觉功能

皮肤内含有丰富的感觉神经末梢,可感受外界的各种刺激,产生各种不同的感觉,如触觉、痛觉、压力觉、热觉、冷觉等。

3、调节体温

当外界气温较高时,皮肤毛细血管网大量开放,体表血流量增多,皮肤散热增加,使体温不致过高。当气温较低时,皮肤毛细血管网部分关闭,部分血流不经体表,直接由动静脉吻合支进入静脉中,使体表血流量减小,减少散热,保持体温。当气温高时,人体大量出汗,汗液蒸发过程中可带走身体的部分热量,起到降低体温的作用。

4、分泌与排泄

皮肤的汗腺可分泌汗液,皮脂腺可分泌皮脂。皮脂在皮肤表面与汗液混合,形成乳化皮脂膜,滋润保护皮肤及毛发。皮肤通过出汗排泄体内代谢产生的废物,如尿酸、尿素等。

5、吸收功能

皮肤并不是绝对严密无通透性的,它能够有选择地吸收外界的营养物质。皮肤直接从外界吸收营养的途径有三条:营养物渗透过角质层细胞膜,进入角质细胞内;大分子及水溶性物质有少量可通过毛孔、汗孔被吸收;少量营养物质通过表面细胞间隙渗透进入真皮。

6、新陈代谢

皮肤细胞有分裂繁殖、更新代谢的能力。皮肤的新陈代谢功能在晚上 10 点至凌晨 2 点之间最为活跃,在此期间保证良好的睡眠对养颜大有好处。

皮肤作为人体的一部分,还参与全身的代谢活动。皮肤中有大量的水分和脂肪,它们不仅使皮肤丰满润泽,还为整个肌体活动提供能量,可以补充血液中的水分或储存人体多余的水分。皮肤是糖的储库,能调节血糖的浓度,以保持血糖的正常。

另外,头发是皮肤的附属器官,具有十分重要的生理功能:

1、保护头部;

2、缓冲对头部的伤害;

3、阻止或减轻紫外线对头皮和头皮内组织器官的损伤;

4、对头部起着保湿和防冻作用;

5、排泄作用,人体内的有害重金属元素如汞、非金属元素如砷等都可从头发中排泄到体外;

6、判断疾病,可通过测定头发中锌、铜等微量元素含量的多少,为诊断某些疾病提供依据。

皮肤及头发的养护

皮肤与头发对于人体除了具有多项重要功能外,还具有一项非常独特的功能就是美容功能,年轻的肌肤和乌黑亮泽的头发使人显得更有魅力,也使得皮肤与头发的养护成为当今社会一大热点。因此,关于皮肤与头发的养护的观点很多,这里我们只是从保护和营养健康的角度简单介绍几点:

1、皮肤的养护

(1)保持面部清洁是皮肤保养的基础。喜欢化妆的人,固然在化妆前必须把脸洗得干干净净,就是不喜欢化妆的人,也应该注意皮肤卫生,应该经常把脸洗得洁白干净,注意清除脸上的污垢,因为皮肤是要经常进行呼吸和分泌汗液的,如果不保持脸部清洁,分泌出的物质就会沾上灰尘和细菌,容易导致皮肤病的发生。

(2)注意补充水分。水分在皮肤中占 50%-70%,越往深层,水分含量越高, 皮肤缺水会对皮肤造成很大的损害, 内部失调与错误的饮食、清洁、暴晒等都会造成皮肤的缺水。每天的饮水量大约 6-8 杯,1200 毫升为宜。

(3)补充蛋白质。蛋白质占皮肤总量的 25%,它提供皮肤充足的氨基酸、纤维蛋白和弹力素,多吃含蛋白质食物会对皮肤有利。

(4)皮肤正常的 PH 值在 4.5-6.5 之间,呈弱酸性,碱性物质容易破坏皮肤的酸性保护膜, 每次受到碱性物质伤害, 皮肤会自然分泌皮脂和汗液, 皮肤恢复正常需要 20-30 分钟, 年龄大了, 表皮的中和能力也下降了。受到碱性物质损害容易引起皮炎,要尽量少用碱性化妆品,洗完后用酸性化妆水使皮肤回复到弱酸的状态中。

(5)避免皮肤过热。皮肤表面的皮脂膜,是由皮脂腺分泌的油脂和汗腺分泌的水分经乳化后在表面构成的一层微酸保护膜结构, 起到对皮肤的保护、滋润及柔软肌肤、抵御细菌的作用,但易受碱和高温的破坏。温度太高或太低对面部皮肤都会有很大的伤害, 日久会使皮下细小血管受到伤害, 而使皮肤呈红色,持久不退,因此,应避免用过冷或过热的水洗脸。

(6)慎重选用皮肤的保养方式和化妆品。不可盲从他人的皮肤保养方式,每个人的皮肤受年龄和地区以及遗传等因素的影响,都有其不同的特点,一定要采用适合自己皮肤性质的保养方法。当选用洗面或洗澡的洁肤用品时,不要因喜欢其香味而随便采用,选择适合肌肤性质的洁肤品才是明智之举。

(7)不要用力摩擦、拉推脸部。脸上的肌肉很容易因伸张而下垂或松弛,在化妆和保养时一定要轻柔地擦抹、推按。

2、头发的养护

(1)饮食养护:头发生长需要营养素,如蛋白质、脂肪、氨基酸及微量元素锌、铁、钙等。鱼肉、蛋、乳等含有丰富的碘;动物肝、牛肉、牡蛎、花生、马铃薯、萝卜、粗面粉含有丰富的铁;乳类、鱼类、虾皮含有丰富的钙。常吃这些食物,可使头发光泽柔润而富有弹性。另外,芝麻中含有丰富的胱氨酸、硫丁氨酸,是促进头发健美的美容品;骨头汤中含有类蛋白质骨胶原,有强身健发的作用;每天吃一个鸡蛋,能防止白发和头发枯黄。

（2）按摩梳理养护:"发乃血之余",只有头皮血运充足,才能有一头乌黑亮丽的头发,按摩头部可调节皮脂腺分泌,促进头发的血液循环与新陈代谢,使头发润泽健美。常梳头发有按摩的功效。梳子最好选用骨质、木制品,梳齿宜钝,梳时不可用力过猛,亦可用五指代替梳子梳理。

（3）洗头养护法:正确的洗发方法是头发健美的重要环节,不能把洗头看成是一种十分简单的事而不予重视。洗头前应先按摩头发,接着将头发梳理通顺,以免洗时脱落。水温在 30~38℃ 为宜,先将头发全部浸湿,再将适量洗发剂均匀涂在发上。用指尖轻揉头发,用指甲均匀地搔抓,然后用手指梳理发丝,让污垢溢出。用清水、冲净头发,用干毛巾擦去水分并自然晾干。洗后,擦些有保护作用的发乳或发油滋润头发,一般情况下,以一周洗一次头为宜。

（4）发用类化妆品养护:正确使用发用类化妆品也是保持头发健美不可缺少的一环。干性发质、过软发质、碱性发质不宜使用去污力较强的洗发剂或弱酸性洗发剂,洗后应使用发乳、护发素,使发丝保持油亮光滑而不粘腻;油性头发最好洗用硫磺香皂,抑制皮脂腺的分泌和杀灭细菌,洗后使用去屑水,适时配以药性发乳,可防止头皮屑过多和头皮搔痒;酸性头发应使用止痒剂;卷发发质较软,可用发乳护发,最好配以固发剂,染发者最好用含氨的香波洗发。

（5）防病养护:白发(少年白)和脱发是两种主要的头发病,若是精神因素引起的白发或脱发,应消除精神压力,振作精神;营养缺乏引起的应立即停止使用致病药物。肥胖性脱发可使用硫磺香皂洗头,平时多吃蔬菜类、水果,少吃脂肪。洗头不要太勤,甲状腺机能亢进或过低,以及女性激素分泌过少等引起的脱发或白发,可服用雌性激素类药物,使内分泌趋于平衡。

皮肤还是您身体健康的晴雨表,面部的色素斑点往往与自身的健康状况密切相关,有些斑点还可能是某些疾病的征兆,您知道它们都有那些征兆吗?

健康自测：斑点的征兆

A. 发际边斑点

B. 眼皮部斑点

C. 太阳穴、眼尾部斑点

D. 鼻下斑点

E. 眼周围斑点

F. 面颊部斑点

G. 嘴巴周围的斑疤

H. 下颚斑点

I. 额头斑点

评析：

发际边斑点：和妇科疾病有关，如女性激素不平衡、内分泌失调等。

眼皮部斑点：多见于妊娠与人流次数过多及女性激素不平衡者。

太阳穴、眼尾部斑点：和甲状腺功能减弱、妊娠、更年期、神经质及心理受到强烈打击等因素有关。

鼻下斑点：多见于卵巢疾患。

眼周围斑点：多见于子宫疾患、流产过多及激素不平衡引起的情绪不稳定者。

面颊部斑点：多见于肝脏疾患，更年期老人、肾上腺机能减弱者面部也有显现。

嘴巴周围的斑疤：常见于进食量过多者。

下颚斑点：见于血液酸化、白带过多等妇科疾患。

额头斑点：多见于性激素、肾上腺皮质激素、卵巢激素异常者。

第二章
常规密码——饮食起居与人体健康

　　从早晨刷牙到晚间入睡，每一天我们有无数个活动，环环相扣。我们长期习惯于一种生活方式，也许这其中的某一个环节就是你的健康的隐形杀手。健康的密码就隐藏在每一个微小的细节中，隐藏在每一天的饮食起居中。让我们掌握更多的生活健康常识，更加注重生活质量，使我们的生活更加健康，更加美好！

喝水有学问

水是生命之源，而有关生命起源的种种学说，都起源于水。地球的表面，大部分为海水所覆盖；在成人的组织中水的比重约占70%，中年人的组织中水的比重约占60%，老年的组织中水的比重占50%，其中血液里占90%，脑组织里占85%，肌肉里占75%，骨骼里占50%，而新生儿体内的水可高达80%-90%。如果人体中水的比重低于50%，人的生命就会危险。

我们都知道水对身体的重要性，人每天的生活都和水息息相关。无论是对于每天待在办公室空调房里的办公一族，还是对于经常在室外运动出汗的人，喝水都应该是他们需要特别注意的事项。别看水只是简简单单的H_2O，可喝水却并非很简单的事情，并不是每个人都懂得如何喝水的。这句话听起来有些可笑，但它是事实。日常生活中，我们要注意在什么情况下喝什么水，怎么喝水，喝什么水最有效等等诸如此类的问题。

水是生命之源

喝水有好处，这个概念目前已经被越来越多的人接受，但是喝水究竟对人体有些什么好处呢？

1、防止老化

人体七成是由水组成的，其比例会随着年龄的增加而减少。所谓老化,就是干燥的过程,人体一生的含水量由 80%开始到 50%为止,水分流失量会与年龄成正比。

2、帮助治疗

感冒时,最好每天能喝二三千毫升以上的水,这样能将病毒和其所产生的毒素经尿液排出。流行性感冒滤过性病毒多在低温、低湿环境滋生,保持居家环境及体内的湿润,即可减少传染机会。发烧时,医师常给病人打点滴,将大量的水分直接送入体内,这样可立即减轻发烧,达到退烧的效果。

3、减肥

吃饭前,先喝杯水或一碗汤,可减少饭量,对控制体重有明显的帮助,从而防止发胖。美国科学家罗伯逊博士实验表明,每日饮水 8 至 12 杯,便能每周减肥 0.5 公斤。而饮冷水最好,因冷水易为组织吸收,可消耗热量,餐前饮水,便有饱满感,可减低食欲。冷水还能使血管收缩,减慢脂肪吸收。

4、护肤美容

皮肤的美丽在于水分与油分的平衡,保养皮肤主要的目的即在"保湿",保持皮肤适当的水分与油脂,让皮肤光泽有弹性。

5、缓解便秘

便秘者经常喝水,可使肠腔内保持足够的水分软化大便。

6、利尿

患有膀胱炎者最好多喝水,可大量排尿,不但可以把细菌除去,对于泌尿系统中有毒物质甚至尿中的致癌物质也能一并带出,且尿液经常排空,细菌即无法繁殖。

所以要给自己一个警示:多喝水。上厕所的时候多观察尿液的颜色,赤黄、气味浓烈说明其浓度大,这时身体已经缺水了,应及时补充。

7、治疗结石

患泌尿道结石者，大量摄取水分可加速结石排出，并减少结石再发生。

夏季时气温高，尤其是在户外工作的人，流汗多，如果不注意补充体内的水分，有可能形成肾结石。所以，除正常饮食外，每人每天应至少再补充1000毫升（两瓶纯净水）的水分。

南方结石患者在全国来讲都比较多，由于气候炎热，人出汗多，喝水少，尿液浓度高，尿中晶体就容易沉积。有些地方饮用水含矿物质高，也是当地人结石病高发的重要原因。

结石患者80%都不爱喝水，"喝水不到10分钟我就想上厕所，不敢多喝水"、"水没味道，我喜欢喝茶"，各种理由使得他们一天喝不到2杯水。

有些人喜欢喝果汁，很少喝清水。果汁中富含草酸，而草酸钙是最常见的结石成分。另外啤酒含嘌呤高，经过人体吸收后分解后成为尿酸，经常喝啤酒的人，尿酸浓度高，容易得结石。茶渍也是形成结石的成分之一，我们经常看到喝茶的杯子里都有厚厚的一层茶垢。如果喝惯浓茶戒不掉，那也没关系，只要适当多喝些清水就好。

肾脏好像一个"滤网"，大量喝水，加快尿液的排出，才能把肾脏中沉淀和积聚的钙质、杂物排出体外，有效地阻止结石的形成。

患了结石会有疼痛、血尿等症状，做B超可以检查出来。结石在5毫米的情况下，通常都可通过多喝水自然排泄。每年体检中应注意做做泌尿系的B超，很多结石患者通过微创手术治疗后，由于生活方式不注意，还会复发。

8、提高血液质量

最新实验研究显示，大量饮水可以有效提高人体内血液质量。血液是一种红色黏稠的液体，它在我们的血管内日夜不停地流动，成为人体生命的源泉，使体内细胞不断更新，各组织、器官的功能得以维持，让人充满活力。

血液的作用主要有以下几点：

（1）运输：血液把从消化道吸收来的营养物质和从肺泡吸入的氧气，运送到全身各组织细胞；同时将细胞代谢所产生的二氧化碳及其他废物，如尿酸、尿素、肌酸等，运送到肺、肾、皮肤等排泄器官，排出体外。

（2）调节：内分泌腺所分泌的激素和其他组织细胞所产生的一些生物活性物质，必须通过血液传递到各组织器官，从而对它们的活性进行调节。

（3）保护：血液中含有大量的白细胞、巨噬细胞、单核细胞和各种抗体、补体，具有强大的免疫功能，充当着人体的卫士，能够抵抗体内和外界各种有毒物质的侵袭，在细胞和体液的自我免疫过程中起重要作用。

如何保持血液系统的健康稳定呢？首先，要保证充足的饮水，以便加快血液的代谢，使有毒物质尽快排出体外，让血液保持良好的流动性及其成分的合理搭配。血脂过高、血液过于黏稠等都会引起血液质量的改变，是引发疾病的根源。平时注意补水，特别是喝一些对健康有益的茶水，对降低血脂、改善血液在微小血管中的流动作用很明显。

9、抗癌

有研究发现，一个每天喝 4 杯水或以上的人，比每天喝 2 杯水或以下的人，患上结肠癌的机会将会少近一半。如果每天能喝 8 杯水或以上，则有更佳成效。水能抗癌的原因，是因水能加速肠道的蠕动，令肠道内的废物不能停留，减少致癌物质在肠道停留的机会。同样道理，大量的水亦能减少泌尿系统的癌症产生，如膀胱癌、肾癌、前列腺癌等。另外，多饮水也有预防乳癌的功用。

10、战胜疲倦

有些人经常会感到疲倦，尤其在夏季，很多时会软弱无力，或有昏昏欲睡的感觉。身体对"渴"的敏感度比"饿"更高。当身体水分逐渐减少时，身体不会立即告诉我们需要饮水，但如果情况继续又没即时补充水分，身体会愈来愈疲倦、虚弱、令我们经常无缘无故却莫名其妙地身体不适，而多饮水则可解决这种问题，令身体常常保持精力充沛。

用健康水，小心水中的"杀手"

水对人的健康来说很重要，但是现在我国的水质受到严重的污染。中国科学院 1996 年发布的国情研究报告指出：中国 532 条河流中，已有 436 条河流受到不同程度的污染。中国湖泊达到富营养水平的已超过 63.6%。在中国人口密集的地区，湖泊、水库已经全部受到了污染。

由于水质的污染，污水已成为人类健康的隐形杀手，世界卫生组织（WHO）调查显示：

全世界 80% 的疾病是由于饮用水被污染造成的；

全世界 50% 儿童的死亡是由于饮用水被污染造成的；

全世界每年有 2500 万儿童，死于饮用被污染的水引发的疾病；

全世界 12 亿人因饮用被污染的水而患上多种疾病。

总之，水是生命之源，健康是人生一切的基础！

研究表明，水中的污染物通常可分为三大类：生物性、物理性和化学性污染物。

1、生物性污染物包括细菌、寄生虫和病毒。有关致病细菌和寄生虫已有较好的灭杀方法。但对致病病毒的研究尚不够充分，也没有公认的病毒灭杀要求标准。人类由粪便排出的病毒达 100 种以上，它们经过不同的途径污染水源。通过常规的净化与消毒处理，脊髓灰质炎病毒、柯萨奇病毒、轮状病毒、甲型肝炎病毒等能够部分存活。随着水环境污染状况的恶化，水体中原有的病毒亦可能发生变化，并出现新的病毒。

2、物理性污染物包括悬浮物、热污染和放射性污染。主要是自来水厂站到民用、公用水龙头几公里长、常年锈蚀、微生物大量滋生的铁质水管线、阀门掉落的锈渣儿等，在各种大中小型电热水器、暖瓶、茶杯以及我们的身体中常年大量悬浮和沉积污染。放射性污染危害最大，一般存在于局部地区。

3、化学性污染物包括有机和无机化合物。随着分析技术的发展，至今从源水中检出的化学性污染物已达2500种以上。目前应该高度关注的主要有：

（1）介水传染病，由水中生活性污染物造成。饮用不洁水或食用被水污染的食物可引起伤寒、霍乱、细菌性痢疾、阿米巴痢疾、甲型肝炎等传染性疾病。此外，人们在不洁水中活动，水中病原体亦可经皮肤、黏膜侵入机体，如血吸虫病、钩端螺旋体病等。

（2）致突变、致癌和致畸作用。水体中常见的致突变污染物如氯代甲烷、丙烯腈等，可引起生物体遗传物质发生突然的、可遗传的效应；石棉、砷、镍、铬等无机物和亚硝胺、苯胺等有机污染物作用于机体可诱发肿瘤的形成；甲基汞、五氯酚钠等致畸污染物可通过妊娠中的母体干扰正常胎儿发育过程，使胎儿发育异常而出现先天性畸形，也可直接作用于生殖细胞，影响生殖机能和导致出生缺陷。

（3）水环境内分泌干扰物质的危害。某些化学性污染物如邻苯二甲酸二丁酯、对硫磷、合成除虫菊酯等可干扰机体内一些激素合成、代谢或作用，从而影响机体的正常生理、代谢、生殖、生育等功能。

不洁的饮用水对个体造成的严重伤害如下：

超标的重金属和杂质：各种怪病和肿瘤；

大肠杆菌：肠胃炎、腹泻、泌尿系统感染、胆囊炎等；

沙门氏菌：伤寒、副伤寒等；

志贺氏菌：细菌性痢疾等；

溶血性链球菌：溶血性黄疸病。

除此之外，通过水传播的流行病仍有发生。

喝水的误区

据最近一项调查显示，目前人们在饮水方面存在着较多误区：

1、直接饮用自来水

尤其在一些污染比较严重的地区，还未达到自来水可直接饮用的水平。在这种情况下，将自来水煮沸后再饮用是最经济卫生的消毒方法。

2、片面强调水中矿物质

矿泉水因含有人体所需的一些矿物质而深受喜爱。不少消费者认为，矿物质含量越高越好，其实不然。饮用水中应该含有适量、平衡的矿物质，但矿物质含量高并不能完全说明水的活力强。反之，当水中矿物含量超标时，还会危害人体健康。例如，当饮用水中的碘化物含量在0.02毫克/升~0.05毫克/升时对人体有益，大于0.05毫克/升时则会引发碘中毒。

3、水越纯越好

不少人认为，水越纯越好。而实际上纯净水太过"纯净"，所有的矿物质和微量元素都被滤去，反倒未必对健康有利。

太空水、超纯水实质上都属纯净水。纯净水是把水中的重金属、三卤甲烷、有机物、放射性物质、微生物等大部分去掉，而制成可以直接饮用的水。它的优点在于没有细菌、没有病毒、干净卫生，但长期饮用纯净水会导致身体营养失调。大量饮用纯净水，会带走人体内的有用的微量元素，从而降低人体免疫力，易引发疾病。由于人体的体液是微碱性的，而纯净水呈弱酸性，如果长期饮用弱酸性的水，体内环境将遭到破坏。此外，长期饮用纯净水还会增加钙的流失。对于老年人，特别是患有心血管病、糖尿病的老年人和儿童、孕妇更不宜长期饮用。

4、喝水仅为解渴

人们通常认为，口渴了才喝水，不渴就不用补充水分。调查显示，人们喝水时往往忽略了水的营养及保健功能。干净、安全、健康的水是最廉价最有效的保健品。水在体内能将蛋白质、脂肪、碳水化合物、矿物质、无机盐等营养物质稀释，这样才能便于人体吸收。由于一切细胞的新陈代谢都离不开水，只有让细胞喝足了水，才能促进新陈代谢，提高人体的抵抗力和免疫力。

5、饮料等于饮用水

调查显示,不少年轻人喜欢把饮料当作饮用水。其实,水和饮料在功能上并不能等同。由于饮料中含有糖和蛋白质,又添加了不少香精和色素,饮用后不易使人产生饥饿感。因此用饮料代替饮用水,不但起不到给身体"补水"的作用,还会降低食欲,影响消化和吸收。长期饮用含咖啡因的碳酸性饮料,会导致热量过剩,刺激血脂上升,增加心血管负担。咖啡因作为一种利尿剂,过量饮用会导致排尿过多,出现人体脱水现象。另外,对儿童来说,碳酸性饮料会破坏牙齿外层的珐琅质,引发龋齿。

而且,目前市面上不少"健康饮料"中含有食用色素和食物添加剂,虽然尚无明确研究显示其有害性,但也并不表明它们就一定无害。特别是正处于成长发育期的孩子,应该少喝含糖饮料。

6、把医疗用水当饮用水

目前在市场上可以看到一些名为"电解水"和"富氧水"的饮用水,严格地说,这些都属于医疗用水,不能作为正常人群的饮用水。电解水就是通过电解作用,把水分解成阳离子水和阴离子的水。阳离子水是医疗用水,必须在医生指导下饮用;阴离子水则常被用于消毒等方面。富氧水是指在纯净水里人为地加入更多的氧气,这种水中的氧分子到了体内,会破坏细胞的正常分裂作用,加速衰老。

7、桶装水方便卫生

盛放桶装水的水桶会被反复回收再利用,时间一长,很容易造成真菌感染。那些不正规的生产厂家的产品,卫生状况更加难以保证。饮水机中的开水由于反复煮沸、保温,容易造成矿物质沉积,也影响健康。

8、冰镇水卫生无菌

许多肠道腹泻患者发病的一个重要诱因是无节制饮用冰镇水。喝生水拉肚子是常识,可对于冰镇水,许多人的认识存在误区,不少人甚至认为冰镇是一种很好的消毒方法。其实,在0~4℃的冰镇环境中,细菌照样滋生,根本不能保证卫生健康。从医学角度说,夏天,人体胃酸分泌相对较少,大量饮用冰镇水、冰镇啤酒会进一步稀释胃酸,造成肠道紊乱,由此带来众多相关疾病。

9、喝水越多越好

据美国最新研究报道,饮水过多也会造成"水中毒"。美国健康专家分析说,短时间的大量饮水会造成血液内盐分浓度改变,体内液体流动出现变化,严重者会造成大脑肿胀、压迫颅骨,乃至死亡。

"水中毒"是指长期喝水过量或短时间内大量喝水,身体必须借着尿液和汗液将多余的水分排出,但随着水分的排出,人体内以钠为主的电解质会受到稀释,血液中的盐分会越来越少,吸水能力随之降低,一些水分就会很快被吸收到组织细胞内,使细胞水肿。开始会出现头昏眼花、虚弱无力、心跳加快等症状,严重时甚至会出现痉挛、意识障碍和昏迷。因此有些女孩子想靠超大量喝水来减肥,这个方法是很危险的。

所以在注重自身水分补充时,还要根据各人的身体状态和身体需要进行适当的调节。人体每天所需水分约 1450 至 2800 毫升,成人每天至少喝 8 杯水(1 杯 250CC)。感冒生病时,最好每天喝 2000 至 3000 毫升的水量。在炎热的夏季,如果暴露在 30℃以上的日光下,单是人体出汗就已经消耗掉 1000 毫升的水分,每人每天的尿量大约在 2000 毫升,为防止尿液浓度高,应在正常饮食外多补充 1000 毫升的水。

喝多少水因人而异,正常的健康人可以以尿液颜色来判断何时应该多补充水分:正常的尿液颜色应该是淡黄色,如果颜色太深就应该补充水分;若颜色很浅就可能是喝水太多了。

对于病人而言,喝水更需因人而异。例如,同是心脏病患者,当患者表现为冠状动脉供血不足时,每天需适当增加水的摄入量,以免血液黏稠度过高,进而导致心肌梗死的发生。但当患者表现为心脏功能衰竭时,则不宜喝水过多。因为喝水太多会加重心脏负担,导致病情加剧。为了避免加重肾脏的负担,急性肾炎、肾功能衰竭的患者也不宜喝水过多。而当人感冒发烧时,自呼吸道丢失的水分比平时要多,另外发烧体温增高,从皮肤蒸发的水分也增多,要适当多补充水。

10、"可乐"属于保健饮品

什么饮料最好？很多人尤其是年轻人都会回答："可口可乐"。可是在美国,可口可乐公司都不承认自己的产品具有保健作用,国际上也不承认,除了含有大量热量外,它只能解渴,没有任何保健作用。造成"可口可乐"等碳酸饮料属于保健品这个认识误区的原因,一方面在于以前国内有些人盲目崇拜国外的饮食和生活习惯,另外一方面则是由于一些不良经销商出于商业目的误导消费者。

根据可口可乐和美国饮料协会的一项协议,其产品在美国中小学校园实行限额销售。此外,百事可乐以及其他的一些软饮料生产商也面临相同的境地。在美国,软饮料被认为是造成肥胖问题日益严重的主要原因之一。美国疾病控制和预防中心的资料显示,北美地区16%的儿童和青少年体重超标。碳酸类饮料也被国际卫生组织列为十大垃圾食品之一。

国际上认定的6种保健品是:第一绿茶;第二红葡萄酒;第三豆浆;第四酸奶;第五骨头汤;第六蘑菇汤。

学会喝水

尽管水对人体有益,但是也需要慎重选择用水。人们容易把干净水、安全水、健康水三种不同概念混为一谈,其实,水的干净与安全主要针对水污染而言,健康水主要针对人体健康而言。真正的健康水并不仅仅是干净、没有污染。人与自然之间需要和谐与协调发展,饮水也需要遵循人体健康的需要、能够与人体频谱场匹配、更容易被人体吸收利用的水。

健康水应该符合以下几个标准:

1、不含任何对人体有毒、有害及有异味的物质。

2、水的硬度适中。

3、ph 值呈弱碱性。

5、水中的溶解氧及二氧化碳适度(水中溶解氧不低于 7 毫升/克)。

6、水分子团半幅宽小于 100 赫兹。

7、水中的营养生理功能(溶解力、渗透力、扩散力、代谢力、乳化力、洗净力)要强。

合格的自来水理应成为主要的饮用水来源。除了水质本身外,也要学会"正确的喝水方法",下面介绍一些简单而有效的喝水方法:

1、一次喝完一杯水

真正有效的饮水方法,是指一口气(或称一次过)将一整杯水(约 200 至 250 毫升)喝完,而不是随便喝两口便算,这样才可令身体真正吸收使用。当然,所谓一次过饮水并非一定要一口气喝完。如果只随便喝一两口来止渴,对身体根本无济于事。

但这并不是说要一口气把一杯水喝完。口渴的时候,不少人习惯"咕噜咕噜"豪饮一番,殊不知,这种饮水的方法对健康并无好处。少量、多次、慢饮是 3 条基本准则。

大口喝水可能引起的后果有三:其一,一次性快速大量喝水,会迅速稀释血液,加大心脏的负担。运动过后,这种情况更加严重。其二,天热大量出汗时,暴饮会反射性地加大出汗量,进一步增加钠、钾等电解质的损失,因而人们往往产生越喝越渴的感觉。其三,喝得太快太急,会把大量空气一起吞咽,容易引起打嗝或是腹胀。

合理的喝水方法应该是,把一口水含在嘴里,分几次徐徐往下咽,这样才能充分滋润口腔和喉咙,有效缓解口渴的感觉。

2、饮好水

尽量避免常饮蒸馏水(一般蒸馏水的水性太酸,容易伤害身体,对肾脏较弱的人士则更为不利),可选择优质的矿泉水。如可以的话,饮用碱性水对人体最有利;或在家用滤水器过滤后煮熟再喝亦无不可。

3、饮用暖水

夏日炎炎,很多人喜欢喝冰水,感觉解渴爽口,殊不知,这么做会对身体造成一定的损害。摄入冷饮会使胃肠黏膜突然遇冷而使原来开放的毛细血管收缩，使平滑肌痉挛，可以引起胃肠不适或绞痛甚至是腹泻。

相反，还有人喜欢喝滚烫的水，过烫的饮食进入食道，会破坏食道黏膜和刺激黏膜增生，诱发食道癌，这已是医学界的定论。

因此，饮用水的温度不能太热也不能太冷。最适宜的温度是 10~30 摄氏度。其实冰水对胃脏功能不利，饮用暖开水更为有益，因为这有助于身体吸收。

4、空腹饮水

当然，饮水随时都可以，口渴时才饮用往往只能解渴，未能济事。有效的饮水方法是在空腹时饮用，水会直接从消化管道中流通，被身体吸收；吃饱后才饮水，对身体健康所起的作用比不上空腹饮水。

5、能放能收

上班一族常常会因工作关系疏忽了饮水，在此特意提醒各位朋友切勿以"常去厕所"为由而避免喝水。长此下去，膀胱和肾都会受损害，容易引起腰酸背痛。

6、喝水时间表

推荐一个"喝水行程表"，提供给您以作参考。

6:30 经过一整夜的睡眠，身体开始缺水，起床之际先喝 250CC 的水，可帮助肾脏及肝脏解毒。

8:30 清晨从起床到办公室的过程，时间总是特别紧凑，情绪也较紧张，身体无形中会出现脱水现象，所以到了办公室后，先别急着冲咖啡，给自己一杯至少 250CC 的水！

11:00 在冷气房里工作一段时间后，一定得趁起身活动的时候，再给自己一天里的第三杯水，补充流失的水分，有助于放松紧张的工作情绪！

12:50 用完午餐半小时后，喝一些水，可以加强身体的消化功能。

15:00 以一杯健康矿泉水代替午茶与咖啡等提神饮料吧！能够提神醒脑。

17:30 下班离开办公室前，再喝一杯水，增加饱足感，待会儿吃晚餐时,自然不会暴饮暴食。

22:00 睡前 1 至半小时再喝上一杯水!今天已摄取 2000CC 水量了。不过别一口气喝太多,以免晚上上洗手间影响睡眠质量。

一天中喝水的最佳时刻为:起床后、早餐前、上午中间时刻、午餐前、下午中间时刻、晚餐前、晚上中间时刻、就寝前。对一般健康人,建议每天原则上以 1500 毫升为标准。老年人的新陈代谢能力较弱,喝水应"少量多次",一天达到 1000 至 1500 毫升就可。早晨起床后喝杯冷开水,以唤醒肠胃,触动蠕动、排泄,进而使人变得有胃口,之后每隔一二小时再各喝一杯。饭后,由于肠胃正处于温暖而蠕动的状态,因此最好喝热水,而不是冷开水。许多人有饭后就饮茶的习惯,其实是很不好的。因饭后胃内装满食物,胃液正在分泌,大量茶水入胃会冲淡胃液,影响消化。

食物中的健康

俗话说:药补不如食补。利用食物来预防疾病和治疗疾病的方法,中医学称之为饮食疗法。唐代孙思邈在《千金方》中指出:"凡欲治疗,先以食疗,即食疗不愈,后乃用药尔。"并著有《食治》一卷。唐代孟诜总结了先人经验,撰写了食疗药物的专著《补养方》,后经张鼎增补,改名为《食疗本草》。

生命首先在于营养,没有营养就没有健康。营养是保证人体健康长寿的物质基础,人体器官的功能和组织的正常代谢,依赖着必需营养。营养对疾病防治以及衰老的过程有着相当大的影响,尤其对晚年的健康状况更为密切。营养良好的人能有效地延缓衰老,有些人 60 岁就表现出虚弱,行动不稳,容易疲劳,感觉迟钝;而有些人,年过八旬仍像"年轻人"。因此,可以这么说,决定生命后期生理性或机能衰老程度,某种意义讲取决于营养状况,不是生存的年龄,也就是说吃得长寿。

但是,是否有人想过如果营养吸收不足会带来什么样的后果呢?

不少人吃得不科学、不合理,而导致出现头昏、心慌、四肢无力等现象,注意力不易集中,头脑反映不灵活、思维迟钝,学习和工作效率下降,精神不振,往往事倍功半。

因此,我们要注意三餐的营养吸收和三餐的合理分配,科学研究认为,要使自己随时保持健康的体魄,科学安排饮食十分重要。至少,你可以节省大量节省医药费!

健康自测:饮食健康

以下 30 道自测题可以知道您是否有健康的饮食习惯。请分别选择是、偶尔、否。

1. 吃饭不愿剩,经常吃完盘中所有的食物。
2. 常吃咸菜以及咸鱼、腊肉等腌制食品。
3. 经常吃方便面。
4. 经常吃刚屠宰的猪、牛、羊肉,认为其最新鲜,质量最好。
5. 喜爱吃动物内脏,如猪肝、猪大肠、羊杂碎等。
6. 喜欢选购白的馒头、挂面等面食,认为颜色越白越好。
7. 喜爱吃烧烤类食物,如羊肉串、烤鱿鱼等。
8. 喜欢在看电视、读书或行走时吃东西。
9. 不管食物营养价值如何,只要对胃口就买。
10. 喜欢吃素。
11. 为了某种目的,时常节食或严格限制饮食。
12. 喜欢用咖啡、冷饮或罐装甜饮料代替日常饮水。
13. 喜欢吃全麦面或杂粮。
14. 每天喝一杯牛奶或酸奶。
15. 在每 3 天的食谱中,都会安排胡萝卜、西红柿。
16. 西瓜、草莓喜欢挑个大的买。
17. 用餐后马上吃水果。
18. 您的晚餐是否通常是三餐中最丰盛的?
19. 常吃大豆、豌豆或扁豆。

20. 常吃洋葱、大蒜、姜。

21. 每周都吃河鱼或海鱼。

22. 常吃柑橘类水果,如柚子、橙子或橘子。

23. 经常不吃早餐。

24. 常在农贸市场购买没有包装的豆腐和豆制品。

25. 从小到现在一直偏爱某类食物。

26. 菜里要是盐、味精放少了,会觉得没有味道很难下咽。

27. 炒菜时,等油冒烟了才放菜。

28. 放了好几天的剩菜,只要您觉得没放坏就加热后继续食用。

29. 每天刷碗时都用洗洁精。

30. 喜食甜食,烹炒各种菜时都喜欢放些糖。

1、2、3、4、5、6、7、8、9、10、11、12、16、17、18、23、24、25、26、27、28、29、30 题选"是"得 0 分,选"偶尔"得 1 分,选"否"得 2 分。

13、14、15、19、20、21、22 题选"是"得 2 分,选"偶尔"得 1 分,选"否"得 0 分;

评析:

得分在 50—60:A 级健康饮食标准。能达到这个级别的人并不多,说明您非常了解如何健康地安排饮食,有良好的饮食健康意识和生活习惯,有高水准的饮食安全与营养方面的知识。

得分在 40—50:B 级健康饮食标准。您和您的家人有较高水准的饮食安全与营养知识,有较高水平的健康饮食理念、方式和习惯。您的健康饮食水平高出平均水平,但还有可以提升的地方。

得分在 30—40:C 级健康饮食标准。您的饮食健康状况处在中等水平。在越来越注重饮食健康的今天,您没有落伍,但还需要努力,才能更好地保持并增进健康。您需要关注食品健康方面的信息,以获取更多的食品安全与营养方面的知识,提高健康意识,注重改变健康饮食方式和习惯。

得分在 30 分以下:D 级健康饮食标准。很遗憾,您的饮食状况不健康。如果不加以改变,饮食对身体造成的损害会以您意想不到的方式显现出来。为了您和您的家人的健康与幸福,请您马上对你的饮食方式和习惯做出调整，密切关注饮食健康和相关资讯，尽力改善现在的饮食状况。

如果您的自测结果是 A 级健康饮食标准，那么，这章的内容您可以跳过。否则，请您仔细阅读以下内容。本章将详细告诉您如何吃得合理，如何保证您每日所需的各种营养素被平衡且充足地摄入。

饮食疗法的作用

中医医学十分重视食物对疾病的防治作用，宋朝《太平圣惠方》指出："夫食排邪而安脏腑，清神爽志以资血气，若能食用平疴，适情遗病者，可谓上工矣。"饮食是人们正常的日常活动，通过饮食来治疗疾病不会引起不良反应，受到老年人的欢迎。《寿亲养老新书》指出："老人之性皆厌于药，而喜于食，以食治病，胜于药。"

现代医学同样重视饮食在防病中的作用，为不同的疾病配备不同的饮食，甚至因人而异，制定具体的食谱，有些疾病仅通过饮食疗法即可痊愈。合理的饮食既有防治疾病的作用，也是药物取得较好疗效的保证。例如：糖尿病除了合理的药物和体育疗法外，还应该配合饮食疗法。在给予降糖药物时，如热量摄入过多，血糖控制不可能满意。反之，如摄食过少，也可导致低血糖症。又如，浮肿病人在应用排钠性利尿药时，不限制盐的摄入，同样也可降低药物的利尿效果。

饮食疗法的作用机制

一、维持正常人体的营养状态

日常生活中食品可分为主食和副食两种，一般说来，主食以淀粉为主，是人体主要的能量来源。副食中的肉类和蛋类食品主要供给蛋白质及脂肪，蔬菜及水果可提供多种维生素和无机盐。人体缺乏某种维生素，就会导致相应的维生素缺乏症，可通过饮食得到防治。例如缺乏维生素A引起的夜盲症，经常食用动物的肝脏和蔬菜胡萝卜可得到治疗。因小麦麸皮中含有较多的维生素 B_1，因此对缺乏维生素 B_1 引起的脚气病有一定的治疗作用。缺乏维生素C可引起坏血病，许多水果和蔬菜中含有丰富的维生素C，可用作辅助治疗。茄子、芹菜、大枣中含有较多的维生素PP和维生素C，故对预防高血压及动脉硬化有良好效果。

二、食物的酸碱度

食物的营养价值对人体十分重要，但是食物的酸性和碱性的平衡也不容忽视，如食物中含酸性过高，身体各主要器官便要动用较多的骨钙，而钙对骨骼的构造具有特殊动能。长期下去可引起缺钙性骨质疏松症。因此，要在膳食调配上注意酸性和碱性的平衡。

各种蔬菜和水果多属于碱性，为了防止酸性过多或中和酸性，维持体内酸碱平衡，平时宜食用蔬菜和水果。

食物可提供人体所需的各种无机盐和微量元素，蔬菜和水果含钾量丰富，多食可纠正低钾血症。

常见疾病的饮食调节

感冒的饮食疗调理

感冒是一年四季都可发生的疾病。感冒时，通过必要的食物疗法，有助于缓解症状，辅助药物取得更好的疗效。

感冒发热的患者，新陈代谢加快，体内的热能、水分和各种营养素的消耗均增加，加之病人往往伴有食欲不振、消化不良等症状，所以饮食宜清淡、易消化的流质与半流质、营养丰富的饮食。

短期发热的病人，应给予高蛋白食物，如：乳制品、豆制品、蛋类及富含维生素 C 的水果蔬菜。发热时间较长者则应给予高热量饮食，以碳水化合物为主。

发热时多饮水，这不但补充发热时水分的消耗，还有助于排泄致病菌所产生的毒素。

腹泻的饮食疗调理

腹泻也是日常生活中常见的一种疾病。中国医学把腹泻归因于感受外邪，饮食所伤，情志失调，脾胃虚弱等多种原因所致，由于病因不同，其临床表现、发病机理、治疗也不相同。因感染细菌、病毒等所致腹泻应以药物疗法为主，配合食物及其他疗法。饮食所伤、情志失调、脾胃虚弱所致腹泻要重视食物疗法，并配合药物疗法。

如果腹泻多是因为慢性肠道炎症或肠道功能紊乱导致的，就更应当给予适当的饮食疗法，不但可取得较好效果，还可避免长期服药引起的不良反应。祖国医学非常重视饮食疗法在腹泻治疗上的作用，《黄帝内经·太素》中指出："粥浆入胃，泄注止。"

（一）急性腹泻与饮食

急性腹泻比较严重时，应禁食一天，这样有利于改善症状。禁食时，可饮一些温开水或稀粥，病情好转时再给予柔软、少渣、易消化的饮食。腹泻控制后给予清洁、稀软、易消化、少渣的饮食。病情易反复者可选用健脾饮食，如：糯米、莲子、山药、苡米仁、扁豆等。

（二）慢性腹泻患者的饮食

慢性腹泻是一种常见疾病，常因消化吸收不良，小肠或结肠病变，胃肠功能紊乱等所致。也可因急性腹泻迁延日久所致。主要表现为大便次数增多，轻者每日 2~3 次，重者每日 7~8 次，粪便稀薄或水便，有的含有脓血、粘液等。常常伴有小腹和脐周围疼痛。

慢性腹泻患者采用食疗常有良效。如果不注意饮食调理，则往往使病程延长，或病变加重。其饮食应遵守低脂肪、低纤维、高热量、易消化饮食及少量多餐的原则。膳食中应含有蛋白质、维生素等营养成分。可选择瘦肉、鸡蛋黄、豆腐、鱼等食品。这些食品既有丰富蛋白质，又有丰富的维生素。

脂肪不宜过多，尤其是不宜食用动物性脂肪。病情稳定阶段可用少量植物油烹调菜肴。富含油脂的食物，如核桃、花生、大豆等，应加以限制。

应选择低纤维素、易消化的蔬菜，如：油菜、小白菜、土豆、菠菜。忌食芹菜、韭菜、辣椒、生葱等高纤维素或刺激性食物。

不宜食用冷食、冷饮，注意饮食卫生，选择水果以高维生素、高蛋白质而易消化的饮食为宜。可选择的水果，有苹果、桃子、香蕉等。

另外，乌梅有涩肠止泻的功效，用乌梅 20 克，水煎服，治疗顽固性腹泻有良效。石榴皮酸涩，对慢性腹泻也有较好的效果。酸味强的柑橘类可引起腹泻发作，少食为好。

由于慢性腹泻病程长，身体消耗比较突出，本应提供充足的营养，但因肠道消化吸收功能紊乱，因此食疗不可操之过急。应根据病情，因人而异，循序渐进，以获得最佳效果。

（三）腹泻患者饮食调理

1、不可饮酒或含酒精饮料，不可饮含二氧化碳的饮料如汽水。

2、不可进食刺激性食物，如辣椒、胡椒、生葱、生蒜等。

3、忌食过多的生冷食物，如凉菜、瓜果等。

4、忌食油腻肥甘之物，如肥肉、油条、麻花、蜂蜜等。

高血压病的饮食调节

高血压病是危害人体健康的常见病之一。高血压病目前有向低龄化发展的趋势，最近的调查发现，35岁以下的年轻人大约占了高血压病人的20%，而10年前这个比例还不到10%，这是因为工作压力大，竞争激烈，长期处于紧张的状态下肾上腺素过多分泌，引起血管收缩，最终导致高血压；而不规律的生活方式同样容易导致高血压、糖尿病、高血脂等"富贵病"的出现。

常见高血压的症状为头昏、头胀、耳鸣、心悸、烦躁。重者可引起心脏病、中风而危及生命。通过调整饮食结构，合理地应用药膳，可使许多高血压患者不吃药或少吃药就能控制症状，降低过高的血压。

高血压病患者的饮食调节

1、低盐饮食：在引起高血压病的因素中，食盐是致病因素之一。一般成年人食盐摄入量每天应在7~10克，而高血压患者应控制在7克以内。

2、控制饮食：体重超重是高血压病患者的又一致病因素，要少食多餐，以素食为主，食量以使自己的体重不超过正常为度。不食和少食动物内脏、动物脂肪、蛋黄、鱼子、蟹黄及甜食。宜常食含钾、镁及维生素C和B类的食物，如山楂、橘子、大枣、苹果、荔枝、橄榄和西瓜等新鲜水果和芹菜、菠菜、莴苣、萝卜、豇豆、黄瓜、香菇等新鲜蔬菜，以及海带、木耳、紫菜等，降低血压，减轻动脉硬化和保护心血管。不食或少食葱、韭菜和辣椒等刺激性食物。

3、饮食有节制：吃饭定时定量，不暴饮暴食。暴饮暴食会使"胃不和，而睡难安。"可使原来的高血压病患者血压更为升高，加重胃肠负担，诱发心肌梗塞或中风。

4、应戒烟酒：有人形容说，"溺死在酒杯的人比溺死在江河的人多得多。"烟草中的尼古丁等有毒物质会使血液变稠、血管收缩、血液淤滞,使血压升高。故高血压病患者严禁饮酒,尽量戒烟。

脑动脉硬化病的饮食疗法

脑动脉硬化是严重威胁中老年健康的一种常见病。目前我国人口逐渐老龄化,脑动脉硬化也会逐渐成为人们越来越重视的疾病之一。合理的饮食调摄是防治动脉硬化的一个重要环节。

(一)脑动脉硬化患者饮食调节

1、低胆固醇饮食。少食动物脂肪。一般说来,血浆胆固醇有两个来源。来源于食物者(每日摄取量为 300 毫克)为外原性,在肝脏和小肠合成的为内原性。一般认为,每日胆固醇摄取量不宜超过 300 毫克。过多的脂质物质容易沉积在血管壁上,导致脑动脉硬化。

2、戒除一切不良嗜好。尤其应当戒烟,因为烟草中含油的烟碱可引起动脉痉挛,造成缺血,从而诱发脑梗塞、心肌梗塞。

3、饮食宜清淡,不食过咸和甜食。经常吃甜食,人体血液中甘油三脂容易增高。

4、保持正常体重每日摄入量不可过多,食疗的同时还应该坚持适当的体育锻炼。

(二)几种防治脑动脉硬化的食物

1、荞麦。所含脂肪酸均为不饱和油酸,亚油酸十分丰富,30 克荞麦中含有相当于 10 粒益寿宁或脉通的主要成分,而且钙、磷、铁及维生素的含量都高于其他粮种。所含的大量的叶绿素和芦丁有软化血管、增加血管弹性作用。荞麦含有的维生素 E 有抗衰作用,经常吃荞麦不仅对心脑血管疾病,对糖尿病、肥胖病、脂肪肝患者也很有好处。

2、牛奶。科学研究发现,牛奶及奶制品中含有一种称为吡咯并喹啉苯醌的物质,可以防止过量的钙元素对神经元的损害,从而起到保护大脑的作用。因此提倡中老年人平时适当喝些牛奶及奶制品,对预防中风有一定效果。

3、黑色食品。黑木耳有很好的降血脂、抗动脉硬化的作用,主要取决于黑木耳中富含的粗纤维及亚油酸的作用。

黑芝麻是中医用作滋肾健脑的食疗佳品,用于肝肾阴虚所致的头晕、目眩、耳鸣及视物昏花。据分析黑芝麻中含有亚油酸、维生素 E、蛋白质及维生素 B_1,其中维生素 E 可抵抗使人衰老的自由基,亚油酸可阻止动脉粥样硬化的进展。

4、维生素 P。维生素 P,增强细胞之间粘附力,具有保护血管,增强血管壁的弹性的作用,可防止脑血管破裂引起的脑出血。天然食物中,大枣、山楂、杏、杨梅、紫茄中含有的维生素 P 最为丰富。多吃这些食物可改善微循环,防治心脑血管疾病,防止脑溢血。

糖尿病的饮食疗法

糖尿病是由于胰岛素相对缺乏或分泌不足而引起糖类代谢紊乱所致的一种疾病。胰岛素减少而引起糖的利用受阻,使血糖升高,热量供应不足,人体吸收的蛋白质以热量的形式被消耗掉。还可使体内的脂肪分解过多,发生酮症酸中毒。

不管是哪种类型的糖尿病都必须进行饮食控制,病情较轻的病人单独用饮食治疗,效果也较理想。重型患者在药物治疗的同时,也需要严格而科学的饮食治疗,这样才能取得理想的效果。否则难以达到药物治疗的目的。总之,饮食疗法是糖尿病最重要、最基本的治疗措施。

(一)限制每日摄入总热量

肥胖症是糖尿病发病中的一个重要因素,糖尿病最常发生于 50~60 岁的人中,最初多过分发胖,因此,维持理想的或标准体重是防治糖尿病的重要问题。

(二)限制糖类饮食

控制糖的摄入量,禁食糖、糖果、糕点、蜜饯、果酱、甜食及含糖饮料等。有一种错误观念认为,糖尿病不可吃糖,吃盐没关系,事实上糖尿病病人易并发心血管疾病,钠摄入过多,易引起高血压病,我国居民包括糖尿病病人,膳食中食盐的摄入量,每日多超过 10 克,与美国专家要求钠盐摄入量不大于 3 克(氯化钠 6 克)相比,超过过多。糖尿病病人应严格控制食盐的摄入量,预防心血管疾病的发生。

（三）适当限制蛋白质的摄入量

以往多强调要糖尿病患者多吃蛋白质,少吃碳水化合物饮食。这种做法常使糖尿病病人蛋白质的摄入量超过了营养需要,使糖尿病病人病情不能控制,反而增加了肾脏的负担,并发糖尿病肾病。有研究认为,植物蛋白生物利用率低,多食可使肾脏负担加重,因而不适于糖尿病肾病患者。糖尿病肾病患者应尽量食用含优质蛋白多的食品,如:牛奶、鸡蛋、瘦肉和鱼类。

（四）低脂肪饮食

糖尿病患者往往有脂肪代谢紊乱,病人体内低密度脂蛋白、极低密度脂蛋白升高,而高密度脂蛋白降低。高脂血症是冠心病和动脉粥样硬化的危险因子。脂肪的摄入量应根据病人的具体情况而定,一般每日需要量为50克,消瘦病人由于糖量的限制,热量的来源不足,可适当增加脂肪的摄入量,但原则上不能超过糖的一倍。过多的脂肪饮食,也可加重或诱发酮症酸中毒。

根据患者的病情、活动强度及降糖药物应用剂量来调整进餐次数。一般每天进餐5~6次为宜。这种进餐方法,每餐主食相应减少,避免餐后的血糖升高,以减轻胰岛负担。

（五）维生素的补充

特别要注意维生素 B_1 的补充。在主食减少后,可使维生素 B_1 缺乏,进一步导致各种神经系统病变,多发性周围神经炎是糖尿病常见的并发症,故需多食用些富含维生素 B_1 的食物,如粗粮、豆类、瘦肉。

（六）纤维素饮食

适当地摄入可溶性纤维素食品,可减慢糖的吸收,降低血脂、减肥和缓解糖尿病患者限食所致的饥饿感。每日应摄入高纤维素食物 40~50克,高纤维素食物来源很广,如:麸皮、玉米皮、豆腐渣、果胶和海带等均含有丰富的纤维素。

消化性溃疡的饮食宜忌

溃疡病的发病与胃酸分泌密切相关。饮食又与胃酸分泌之间存在密切的关系。溃疡病的治疗中,饮食不适当则难以获得好的疗效。

溃疡病的饮食原则:

(一)不吃刺激性食物,不吃酸、辣及过冷、过热饮食。

(二)不吸烟。吸烟不仅使肺癌患者增加,也使溃疡病的发病率增加。吸烟的溃疡病人在同样的治疗情况下,比不吸烟者恢复慢,且易复发。

(三)不饮咖啡饮料和酒,少饮茶。咖啡或含咖啡饮料会引起胃酸分泌增加,并使胃粘膜充血,饮用咖啡和含咖啡饮料,使溃疡病症状加重,因此不宜饮用。饮酒可刺激胃壁细胞,尤其刺激胃幽门部的一种特殊的胃泌素细胞,使胃泌素大量释放和分泌,进一步刺激胃壁细胞,使胃酸分泌增加;饮酒还破坏胃粘膜,加重胃粘膜损伤。饮茶同样刺激胃酸分泌,它是否有直接导致溃疡病的作用尚未能肯定,但对已有溃疡病的人来说,应少饮茶为宜,至少不宜饮浓茶。

(四)不可进食过快。少吃粗糙性食物,如芹菜、韭菜、黄豆芽等粗糙不宜消化的食物。吃这类食物增加胃酸等消化液的分泌,还会增加胃壁肌肉的收缩,使胃蠕动增强,增加胃机械性损伤。饮食应定时,进食不可过快,要进行充分的咀嚼,从而促使唾液的分泌,增加唾液中保护因子的含量,预防溃疡病的发生。避免暴饮暴食,防止过饥过饱。食物不可过硬,溃疡病患者宜进食些刺激性小、易消化、质地柔软、动物脂肪含量少的食物,如:软饭粥、各种面食、牛奶、豆浆、豆腐、肉末、水果、蔬菜、蜂蜜等。一些国外专家称青香蕉对溃疡病有明显的预防和治疗作用。

(五)不吃高糖、高蛋白质饮食。如果,吃浓肉汤、浓鸡汤等高蛋白质食物,刺激胃液分泌,会促进胃粘膜中主细胞分泌胃蛋白酶元,后者转化成胃蛋白酶,导致胃酸分泌增加。吃一些糖或含糖分较多的食物,例如红薯、玉米等,多吃后也会泛胃酸,主要由于这些食物多含麦芽糖,刺激胃酸分泌。此时可稍吃些咸食,以抑制胃酸分泌,使泛酸症状缓解。

痔疮的饮食宜忌

常言说"十人九痔",痔疮的成因与病情的加重,每与饮食的不当有一定的关系,痔疮患者在饮食上应注意以下几点:

(一)进食植物纤维素食物过少,易造成便秘,便秘常为痔疮的诱因。

因此,改变饮食习惯,经常多吃含植物纤维丰富的饮食,如:玉米、麸面、薯类、蔬菜及水果,有预防痔疮发病的作用。痔疮出血时,多吃些金针菜、木耳、绿豆及蜂蜜等,有助于病情的缓解。

(二)禁吃辛辣食物如:辣椒、葱、蒜等。这类食品可刺激直肠、肛门,引起排便疼痛和下坠感,使肛门直肠部位血管充血和扩张,影响直肠、肛门静脉血液回流,导致痔疮加重,或诱发痔疮。

(三)饮食有节制,不暴饮暴食。不适当的饮食可引起胃肠功能紊乱,影响肛门直肠的静脉回流,易引发痔疮。

(四)注意饮食卫生,适当地饮水,不食霉烂变质的食物,预防和治疗急慢性肠道炎症。因为急、慢性肠道炎症也可波及临近的肛门直肠组织,使痔疮加重。

慢性支气管炎、哮喘的饮食调理

慢性支气管炎、哮喘也是常见疾病,每至寒冷季节则病情加重。慢性支气管炎、哮喘患者体质多较虚弱,抵抗力低,因此,除药物治疗外,饮食调理也相当重要。

(一)供给充足的热量

患者咳嗽、咯痰、呼吸困难时需用力呼吸,体内的能量消耗增加,此时,患者消化吸收功能较差,因此,应尽量提供充足的碳水化合物、蛋白质、脂肪。

注意优质蛋白的供应,病人因慢性炎症、咳嗽、咯痰和呼吸困难,人体蛋白质的消耗相当大,致使患者抵抗力降低,因此,必须注意补充营养价值高的优质蛋白质食物,如瘦肉、鸡蛋、牛奶、鱼和豆制品。特别是豆浆、豆腐、豆腐脑,所含油脂为不饱和脂肪酸,并含有卵磷脂,不仅营养价值高,而且利于胃肠消化吸收,对修复损坏的组织细胞有重要作用,是有利于慢性支气管炎、哮喘病人的食品。

(二)补充维生素

维生素 A 能维持组织细胞的功能,有预防哮喘的功能。含维生素 A 的食物有鱼肝油、菠菜、胡萝卜、西红柿等。同时,多食用含维生素 B 丰富的食物,如豆类、花生及粗粮,以促进食欲。维生素 C 可提高人体的抗病力,促进体内抗体的形成,增强免疫力,预防感染,避免外界有害因素对人体的损伤。含维生素 C 丰富的食品,如柑橘、苹果、梨、荸荠、菠菜、西红柿等,都可食用。

（三）补镁

近年来,镁在治疗支气管哮喘方面的作用已经得到证实。镁可扩张支气管、增加通气量,还可解决因缺氧所致的毛细血管和小动脉痉挛,改善微循环,改善缺氧。一些含镁丰富的食物,如芝麻、大豆、玉米、核桃、花生等均适合患有慢性支气管炎的患者食用。

病毒性肝炎的饮食宜忌与食疗

病毒性肝炎是由多种肝炎病毒引起的常见传染病,具有传染性强、传播途径复杂、流行面广泛、发病率较高等特点。临床上主要表现为乏力、食欲减退、恶心、呕吐、肝肿大及肝功能损害,部分病人可有黄疸和发热。有些患者出现荨麻疹、关节痛或上呼吸道症状。

我国是个肝炎大国,病毒性肝炎发病数位居法定管理传染病的第一位,仅慢性乙型肝炎病毒感染者就达 1.2 亿。

病毒性肝炎常有不同程度的消化道症状,如何合理饮食又关系到本病的疗效。因此,肝炎的饮食问题是一个重要问题。一般说来,肝炎患者的饮食应该根据个人病情、病程、疾病的类型、营养状态及饮食习惯等进行分析,制定饮食方案。

病毒性肝炎急性期,病人常有食欲不振、消化不良。此时的饮食原则是能唤起食欲,易消化,保证必要的营养和"三高一低"(即:高蛋白质、高热量、高维生素和低脂肪)的饮食原则。

肝炎病人给予高蛋白质饮食,促使受损肝细胞的修复和再生,增强肝脏的抗病能力。日常饮食可增加鸡蛋、牛奶、豆制品的摄入量。病情严重或出现血氨增高时,应根据病情限制或禁食蛋白质。

由于急性肝炎患者食欲不振,进食很少,常有热量的摄入不足,给予高糖饮食是有必要的,肝脏中的肝糖原对肝脏有保护作用。当病情缓解或好转时,则无须给予过多的糖,因糖可转化为脂肪,有时还可促使肝脂肪病变。

维生素与肝病有密切关系,维生素直接参与肝脏的代谢功能,要食用新鲜蔬菜、水果提高维生素的摄入量。

宜低脂肪饮食,肝炎时,肝细胞和肝小管分泌胆汁有障碍,若给予高脂肪饮食会增加肝脏负担,并引起消化不良。对疑有脂肪肝的患者来说,更应该少食脂肪。

戒酒和刺激性食物。酒是肝病的大敌，对患有肝脏疾病的人可引起肝脏病的复发或恶化，甚至引起肝昏迷。即使饮少量的酒也有损于肝脏。

癌症与饮食习惯

目前，癌症死亡已位居我国各类死因的第一位，其中8种癌症死亡又占我国癌症总死亡率的80%以上。这8种癌症是：肺癌、肝癌、胃癌、食管癌、结直肠癌、宫颈癌、乳腺癌和鼻咽癌，它们都被《中国癌症预防与控制规划纲要》(2004–2010年)列为重点防治的对象。相比上世纪70年代，男性肺癌患者上升了159%，女性上升了122.6%。

我国常见的癌症多发生在50岁以后，随着年龄的增长，癌症的发病率也随之升高。癌症是威胁中老年人生命的一组重要疾病。人类癌症中大约80%由环境因素所致，而在环境因素中，又以饮食因素最重要。英国科学家预计，通过改变饮食习惯，积极探索和采用抗癌饮食，可使癌症患者的死亡减少1/3。

饮食习惯与癌症

医学研究提示，饮食习惯不好是导致癌症的重要因素之一。一项流行病学调查表明，三餐饮食不准时、暴饮暴食、不吃新鲜蔬菜、喜欢吃过烫的食物、喜吃干硬或高盐饮食、进食速度过快等，可使胃癌发病率增加。众所周知，我国河南林县地区食道癌发病率甚高，这与当地喜吃酸菜有关。研究饮食习惯与癌症的发病关系，找出癌症中危险的饮食致病因素，并加以预防，是减少癌症发病率的重要措施。

戒除不良饮食习惯是防治癌症的一项重要措施，美国科学人员对日常饮食提出几点建议：

1、少吃脂肪，尤其是避免过多的食用动物脂肪；

2、不吃污染、腐败、霉变食物；

3、少吃腌制和刺激性食物；

4、少吃薰烤和炒得过焦的食物；

5、少饮酒，不吸烟；

6、多吃新鲜水果、蔬菜和全麸谷物；

7、避免吃得过饱；

8、不吃过烫饮食；

9、不要偏食，均衡地摄取营养，不要反复吃一种食物。

预防癌从口入

癌症的形成一般分为两个阶段，第一阶段由某些诱因引起。第二阶段在某些化学、物理、生物致癌物质的长期作用下，经过几年，甚至几十年时间逐渐形成肿瘤。食物防癌在于摧毁和抵抗某些致癌物质，干扰或终止癌症的形成。

食物致癌有以下几个方面：

1、防腐剂。亚硝酸盐是一种公认的致癌物，制作香肠等食物，常常需要亚硝酸钠作为防腐剂，经常吃这种食品，亚硝酸钠在胃里同食物中蛋白质分解产物胺结合，形成了有致癌作用的物质——二甲基亚硝氨。为了防止二甲基亚硝氨这一作用，有关防癌专家指出，吃香肠时应多吃蔬菜和水果。含有丰富维生素C的水果和蔬菜，可防止亚硝酸盐和胺的结合，从而防止二甲基亚硝氨的形成。美国的胃癌发病率在过去的几十年内，一直在逐渐下降。这可能由于食品的冷藏、贮存和加工条件改善，减少亚硝酸盐的使用量，而广泛使用一种叫做HBA的防腐剂用于食品保鲜，阻止食品氧化，抑制了致癌物的生成有关。亚硝氨作用于人体可诱发胃、食道、肝、肺、膀胱及脑等部位的癌肿。

2、自由基。实验表明自由基与衰老有关，还与一些老年慢性疾病如癌症、心血管疾病有关。维生素C、维生素E可对抗自由基，阻断体内亚硝酸盐的合成，防止老年性疾病的发生，预防癌症。

3、霉菌广泛存在于大自然中，尽管霉菌的发酵作用对人类生活有一定的好处，但是，某些霉菌产生的毒素却是有害的，目前已明了某些霉菌毒素有致癌和促癌作用。黄曲霉毒素的致癌和促癌毒性最强，依次还有黄变米霉毒素、环氯霉毒素和柄曲霉毒素等。黄曲霉毒素最容易污染粮食，如：玉米、食油和花生。因此，要加强粮食管理，防止霉菌的污染，不吃发霉食物。

4、脂肪。据调查研究表明，美国的乳腺癌、直肠癌发病率高，可能与高脂肪饮食有关。人体受到脂肪中胆固醇及其组成成分如类固醇、胆酸的影响，这些物质的结构与致癌性多环芳香羟近似。其代谢产物有致癌和促癌作用。随着我国居民生活水平的提高，膳食结构也在不断变化，脂肪的摄入量有所增加，因此，对少食脂肪的建议，不能不引起重视。身体肥胖易患胆结石。大多数胆囊癌患者都有胆结石病史，女性患胆道结石多，其胆囊癌的发病率也比男性高 2~4 倍。

5、啤酒。英国皇家癌症研究基金会的一份报告指出每周饮用 4 升以上啤酒的人比不饮啤酒的或饮微量啤酒的人，患胰腺癌的可能性大 2 倍。

6、烟酒。上消化道的多种癌症与过量的饮酒有关，在非洲，食道癌的发生与过量饮用玉米酒有关；法国诺曼地区的居民嗜饮当地生产的苹果酒，因而食道癌发病率相当高。过量饮酒可损伤肝脏，也可使肝癌的发病率增加。一些研究还表明，爱喝酒的人往往也嗜好香烟，这两种不良的习惯增加了患食道癌和咽喉癌的危险，因此饮酒要适量，最好忌烟。

7、人工合成的食物色素。尽管在食品中加入添加剂如人工合成的食物色素诸如奶油黄、玫瑰红、橙黄等，丰富了食品的花色，但这些色素在动物实验中证实有致癌作用。因此，食物中不应添加这些色素。

近年来，医学上越来越多的研究证明饮食可防癌，自然界中有广泛的抗癌物质，尤其是存在于众多的食品中。

防癌食物

蔬菜类的菜花，又名花椰菜，富含蛋白质、脂肪、糖类、食物纤维素以及维生素 A、B、C、E、P、钙、磷、铁等物质，被古代西方国家称天赐的良药，有治疗咳嗽、肺结核、消化功能不良及便秘的作用，是一种有效的辅助治疗癌症的蔬菜。美国防癌协会要求美国人民多食菜花。

萝卜：萝卜含有的芥子油，是辛辣味的来源，它和萝卜中的酶一起互相作用，有促进胃肠道蠕动，增加食欲，帮助消化的功效。因为它含有多种酶，可解除烧焦鱼、肉中苯和芘等致癌物质的毒性，并能抑制亚硝氨在人体内合成，萝卜中所含的木质素，能提高巨噬细胞的活力，吞噬癌细胞，防癌效果显著。

胡萝卜：含有丰富的"防癌维生素"，胡萝卜虽然经过 15 分钟的烹调，但损失的胡萝卜素只有 1/4。氧自由基可致某些细胞发生突变，引起癌症，胡萝卜有抗氧自由基作用，因而可抗癌。

葱、蒜：早年的研究证明，这些蔬菜具有抗肠道肿瘤作用，后来的动物实验和临床研究也证实了这一作用。大蒜是食用植物中含锗元素最丰富的一种蔬菜。金属元素锗在人体内有抗癌作用，大蒜所含的大蒜素能直接杀死人工培养的胃癌细胞，葱头含有谷胱甘肽，这种物质能将人体内的过氧化氢还原为无害的物质，使肝脏、肌肉等组织的细胞不受过氧化物的损害，而达到防止癌症的目的。

海藻类：海带、紫菜含有大量的钙，钙有净化血液的作用，能使人体内的一些有毒有机物转化为无毒的物质。据报道，3~5 克的海带净化血液的能力相当于 250 克柑橘。海带所含的藻酸还能抑制致癌物质锶-90 的吸收。

黄豆：许多的研究证实，黄豆有抗癌作用。动物实验发现，饮食中只要有 5% 的黄豆就能大大地抑制老鼠体内诱发乳癌的化学因子。

癌症病人的饮食宜忌

当机体发生癌症后，会影响正常组织器官的功能，再加化疗、放疗的治疗反应和毒副作用、手术创伤，病人多发生一系列营养障碍和代谢紊乱，病人体重减轻，食欲减退，有神疲乏力和气血两虚的征象。由于病人的营养状况恶化，威胁着生命。

1、不强调忌口。由于患者营养状态较差，免疫功能低下，不利于患者身体的恢复，因此，癌症患者不宜过分强调忌口。癌症的复发与转移，与病人是否忌口并无关系，只要是想吃就可以吃，吃下去舒服就行。

2、癌症病人的饮食选择根据患者不同的情况，因人而异，如：脾胃虚弱者可给予牛奶、鲜菇，补充新鲜水果和蔬菜；湿邪偏盛或消化不良则应避免油腻滞气的饮食，如甲鱼和鱼类；热毒炽盛者不宜食辛辣、油炸、熏烤的食物，以清淡、煮蒸、煲汤的饮食为宜。

一般说来，补充蛋白质如鱼类、瘦肉、鸡蛋、牛奶有助于纠正癌症病人氮的负平衡。多吃水果和蔬菜，可补充维生素、微量元素。

化疗、放疗癌症患者的饮食问题

放疗和化疗是治疗癌症的主要措施之一，但是这些措施不仅杀伤癌细胞，对正常的细胞也有杀伤作用。毒副作用严重时不得不终止化疗和放疗。放疗、化疗和手术后的病人，配合食疗有助于身体的康复。

《内经》指出："毒药攻邪，五谷为养，五果为助，五禽为益，五菜为充，气味合而服之，以补养精气。"癌症患者在放疗和化疗后，多伴有明显的胃肠道反应，如食欲减退、恶心、呕吐严重影响病人的营养状况。因此，在化疗后应给予清淡、易消化、高维生素、高蛋白质饮食，以使身体尽快复原。尽可能做到营养全面而又丰富。

胡萝卜可减轻化疗反应：国内外医学研究认为，化疗所出现的毒性反应主要是因为身体中维生素 A 被大量消耗，机体严重缺乏维生素 A。胡萝卜中含有丰富的胡萝卜素，有"维生素 A 宝库"美名，因此，经常食用胡萝卜，摄入充足的胡萝卜素后，可以及时地补充由于化疗或放疗消耗的维生素 A，随之，放疗或化疗后的不良反应得到缓解。

维生素 A 虽然可用于防止癌症，但是如果长期服用易出现副作用。而胡萝卜素具有维生素 A 的作用，而且无毒副作用。

人体还可根据需要将胡萝卜素转化为维生素 A，胡萝卜素除具有维生素 A 的作用外，还能清除氧自由基，增强吞噬细胞功能，杀灭癌细胞。

胡萝卜素是脂溶性维生素，不溶于水，而溶于脂肪，因此在食用时，最好不宜生吃、凉拌，这种吃法，大约 70% 有不被吸收和利用。吃胡萝卜时，切忌放醋，因醋酸可破坏胡萝卜素，使其失去营养价值。食用胡萝卜时最好多放些油炒。

除了饮食，癌症与性格也是密切相连的。以下的小测试让您知道自己的性格是否是"癌症性格"。

健康自测：癌症性格

现代肿瘤学的研究证明，大多数癌症病人都有一种"癌症性格"。如何判别自己是否具有癌症性格？心理学家设计了一系列问题。

1. 您感到很强的愤怒时,能否把它表达出来?

2. 您是否不管什么事都尽可能把事情做好,连怨言也没有?

3. 您是否认为自己是个很好的人?

4. 您是否在很多时候都觉得自己没有价值?是不是常常感到孤独、被别人排斥?

5. 您是否正在全力做您想做的事?您满意自己的社交关系吗?您对于常常能发挥人的潜力相当乐观吗?

6. 如果现在有人告诉您,您只能再活6个月,您会不会把正在做的事情继续下去?

7. 如果有人告诉您,您的病已到了晚期,您会不会有某种解脱感?

评析:

理想的答案是:1. 是;2. 否;3. 是;4. 否;5. 是;6. 是;7. 否。

如果您对上述问题的回答中有两个以上与答案相反,就说明您具有癌症性格的特征。但这也无需惊慌,在癌症性格的后面,潜藏着您真实的自我,您可以以此为起点。学会正确对待和应付生活中的事件,适度而恰当地宣泄自己的不良情绪,增强抵御癌症侵袭的能力,这也是抗癌良策。

世界卫生组织公布的最佳食品榜

最佳水果:依次是木瓜、草莓、橘子、柑子、猕猴桃、芒果、杏、柿子和西瓜。

最佳蔬菜:红薯既含丰富维生素,又是抗癌能手,为所有蔬菜之首。其次是芦笋、卷心菜、花椰菜、芹菜、茄子、甜菜、胡萝卜、荠菜、苤蓝、金针菇、雪里红、大白菜。

最佳肉食:鹅鸭肉化学结构接近橄榄油,有益于心脏。鸡肉则被称为"蛋白质的最佳来源"。

最佳护脑食物:菠菜、韭菜、南瓜、葱、椰菜、菜椒、豌豆、番茄、胡萝卜、小青菜、蒜苗、芹菜等蔬菜,核桃、花生、开心果、腰果、松子、杏仁、大豆等壳类食物以及糙米饭、猪肝等。

最佳汤食:鸡汤最优,特别是母鸡汤还有防治感冒、支气管炎的作用,尤其适于冬春季饮用。

最佳食油:玉米油、米糠油、芝麻油等尤佳,植物油与动物油按 1:0.5 的比例调配食用更好。

世界卫生组织公布的十大垃圾食品

1、油炸食品。此类食品热量高,含有较高的油脂和氧化物质,经常进食易导致肥胖;是导致高脂血症和冠心病的最危险食品。在油炸过程中,往往产生大量的致癌物质。已经有研究表明,常吃油炸食物的人,其部分癌症的发病率远远高于不吃或极少进食油炸食物的人群。

2、罐头类食品。不论是水果类罐头,还是肉类罐头,其中的营养素都遭到大量的破坏,特别是各类维生素几乎被破坏殆尽。另外,罐头制品中的蛋白质常常出现变性,使其消化吸收率大为降低,营养价值大幅度"缩水"。还有,很多水果类罐头含有较高的糖分,并以液体为载体被摄入人体,使糖分的吸收率因之大为增高,进食后短时间内导致血糖大幅攀升,胰腺负荷加重。同时,由于能量较高,有导致肥胖之嫌。

3、腌制食品。在腌制过程中,需要大量放盐,这会导致此类食物钠盐含量超标,造成常常进食腌制食品者肾脏的负担加重,发生高血压的风险增高。还有,食品在腌制过程中可产生大量的致癌物质亚硝胺,导致鼻咽癌等恶性肿瘤的发病风险增高。此外,由于高浓度的盐分可严重损害胃肠道粘膜,故常进食腌制食品者,胃肠炎症和溃疡的发病率较高。

4、加工的肉类食品(火腿肠等)。这类食物含有一定量的亚硝酸盐,故可能有导致癌症的潜在风险。此外,由于添加防腐剂、增色剂和保色剂等,造成人体肝脏负担加重。还有,火腿等制品大多为高钠食品,大量进食可导致盐分摄入过高,造成血压波动及肾功能损害。

5、肥肉和动物内脏类食物。虽然含有一定量的优质蛋白、维生素和矿物质,但肥肉和动物内脏类食物所含有的大量饱和脂肪和胆固醇,已经被确定为导致心脏病最重要的两类膳食因素。现已明确,长期大量进食动物内脏类食物可大幅度地增高患心血管疾病和恶性肿瘤(如结肠癌、乳腺癌)的发生风险。

6、奶油制品。常吃奶油类制品可导致体重增加,甚至出现血糖和血脂升高。饭前食用奶油蛋糕等,还会降低食欲。高脂肪和高糖成分常常影响胃肠排空,甚至导致胃食管反流。很多人在空腹进食奶油制品后出现反酸、烧心等症状。

7、方便面。属于高盐、高脂、低维生素、低矿物质一类食物。一方面,因盐分含量高增加了肾负荷,会升高血压;另一方面,含有一定的人造脂肪(反式脂肪酸),对心血管有相当大的负面影响。加之含有防腐剂和香精,可能对肝脏等有潜在的不利影响。

8、烧烤类食品。含有强致癌物质三苯四丙吡。

9、冷冻甜点包括冰淇淋、雪糕等。这类食品有三大问题:因含有较高的奶油,易导致肥胖;因高糖,可降低食欲;还可能因为温度低而刺激胃肠道。

10、果脯、话梅和蜜饯类食物。含有亚硝酸盐,在人体内可结合胺形成潜在的致癌物质亚硝酸胺;含有香精等添加剂,可能损害肝脏等脏器;含有较高盐分,可能导致血压升高和肾脏负担加重。

健康的作息习惯

起居调节主要指对日常生活中各个方面进行科学安排及采取一系列健身措施,以达到祛病强身、益寿延年的目的。

起居有常主要是指起卧作息和日常生活的各个方面有一定的规律并合乎自然界和人体的生理常度。它要求人们起居作息、日常生活要有规律,这是强身健体、延年益寿的重要原则。

人体里有自身的"生物钟"。这个"生物钟"会自动调节人体作息时间,如果人不按规则时间入睡或颠倒入睡的时间,就会造成人体内分泌失调或导致人体免疫能力下降。长期这样会出现食欲减退、精神疲惫、容易发怒等情况。所以每个人都应该注重作息时间。

合理作息的保健作用

古代养生家认为,人们的寿命长短与能否合理安排起居作息有着密切的关系。《素问·上古天真论》说:"饮食有节,起居有常,不妄作劳,故能形与神俱,而尽终其天年,度百岁乃去。"可见,自古以来,我国人民就非常重视起居有常对人体的保健作用。

《素问·生气通天论》说:"起居如惊,神气乃浮。"清代名医张隐庵说:"起居有常,养其神也,不妄作劳,养其精也。夫神气去,形独居,人乃死。能调养其神气,故能与形俱存,而尽终其天年。"这说明起居有常是调养神气的重要法则。神气在人体中具有重要作用,它是对人体生命活动的总概括。人们若能起居有常，合理作息，就能保养神气，精力充沛，生命力旺盛，面色红润光泽，目光炯炯，神采奕奕。反之，若起居无常，不能合乎自然规律和人体常度来安排作息，天长日久则神气衰败，精神萎靡，生命力衰退，面色不华，目光呆滞无神。

古代养生家认为，起居作息有规律以及保持良好的生活习惯，能提高人体对自然环境的适应能力，从而避免发生疾病，达到延缓衰老、健康长寿的目的。

现代老年医学通过对人类衰老变化与衰老机理的研究认为，不同种属的生物具有不同的寿命期限，这种期限与遗传有关。每种生物的寿命在遗传基因中都按出生、生长、发育、成熟、衰老、死亡这一过程，预先做了程序安排。

在西方医学里，对作息习惯对人体健康的影响也做了详细的研究。美英两国的研究人员发现，人的情绪好坏不仅受睡眠时间长短的影响，而且还与是否按生物节律安排入睡和起床时间有很大关系。

据《普通精神病学文献》报道，美国波士顿和英国曼彻斯特的两个研究小组对生物钟、睡眠和情绪之间的关系进行研究后发现，人体生物钟能决定人在一天内哪几个小时心情好。如果在人体生物钟仍处在睡眠阶段起床，即使已经睡了很长时间，仍然会感觉情绪不好；而即使两三天没睡觉的人，如果他的生物钟处在清醒期，那么他也会感觉情绪高涨。

生物钟存在于大脑中的一个区域，它决定人体从睡眠、清醒到消化等多种活动的生物节律。通过对 24 例健康的年轻志愿者长达一个月的研究后发现，当实验对象的睡眠周期从每天 24 小时延长到 28 至 30 小时后，其情绪高低受每天睡眠情况和体温两个因素的综合影响。

研究人员指出，这两项新的研究结果使科学家们能够根据人的睡眠时间表和其自身生物钟判断人的情绪，并有望在将来帮助医生治疗情绪抑郁症患者，也可以帮助经常三班倒的人和需要倒时差的人尽快适应。

按"生物钟"的规律演变展现一系列的生命过程，决定着生物寿命的长短。虽然人体后天的周期性节律变化受生物钟的控制，但更为现实的是在于训练和培养。人类大脑皮层在机体内已成为各种生理活动的最高调节器官，而大脑皮层的基本活动方式是一种条件反射。这种条件反射是个体在生活中获得的，有明显的个体差异和一个逐步建立的过程，这一过程

的建成和巩固与生活作息规律有密切关系。

条件反射一建成，其活动就相对稳定，并且具有预见性和适应性。而条件反射还可以随环境因素的变化而消退或重新建成，这样就提高了人体对环境的适应能力。有规律的作息制度可以在大脑神经中枢建立各种条件反射，并使其不断巩固，形成稳定的良好的生活习惯。一系列条件反射，又促进人体生理活动有规律地健康发展。可见，养成良好的生活作息规律是提高人体适应力、保证健康长寿的要诀之一。

科学的作息制度的建立

美国芝加哥医疗中心的生物节奏研究室的研究人员指出：周末睡懒觉对绝大多数人来说并非好事，因为这会使人体时钟紊乱，睡眠时间顺延，使星期天晚上难以入睡，星期一早上昏昏沉沉，而这种紊乱状态甚至需要数天时间才能恢复正常。

在时间生物学这一新领域，研究人员对与人类息息相关的人体生物钟进行了大量研究，并取得了一系列有重大价值的进展。研究表明：人们最好在每天、每周、每月甚至每年的同一个时间醒来，这有助于调整体内的各种活动，使我们精力充沛地去迎接新的一天。

时间生物学为那些既不属于早起的"百灵鸟型"，又不属于晚睡的"猫头鹰型"的80%的人提供了有用的信息。蒙克教授说随着年龄的增长会带来某些变化。不仅是生活方式的不同，而是生物学上的变化。我们中的许多人到晚年时会变成百灵鸟型。

由于人体生物钟的变化，大脑皮层的不同区域的功能也在时时发生着变化，研究的结果表明：

上午8~11点，是组织、计划、写作和进行一些创造性思维活动的最佳时间。最好把一天中最艰巨的任务放在此时完成。同时，这段时间疼痛最不敏感，此时看牙医最合适。

上午 11~12 点，是开会的最佳时间，人们此时最为清醒，宜用于解决问题和进行一些复杂的决策。

12 时~下午 2 时，此时间一天中快乐的情绪达到了高潮，适宜进行商业社会活动。

下午 2~4 时，会出现所谓的下午低沉期。此时易出现困乏现象，最好午睡片刻，或是打一些必要的电话，做些有趣的阅读，尽量避免乏味的活动。

下午 4~6 时，人体从低沉期解脱出来，思维又开始活跃。可把一天中较重要的工作放在此时做。并且这是进行长期记忆的好时光。

下午 5~7 时，人体的体温最高，此时做些锻炼有助于你在晚上顺利入睡并提高睡眠质量。

晚上 7~10 时，可就一些较严肃的家庭话题进行讨论，也是学习的最好时间。

晚上 11~12 时，人体准备休息，各脏器活动极慢，进入梦乡。

目前，对人体的生物节律研究已被广泛地应用于人体卫生保健，保障安全生产，指导人们生活等方面。所以当了解了自己的生物节律后，就可以扬长避短，充分利用生物节律的高潮期，获取理想的学习、工作和科研成绩。在低潮期适当调整安排自己的生活，以提高适应能力，减少生物节律的不良影响。可见，人们能够认识、利用人体生物节律，但不宜随意打乱生物节律。

健康习惯与高质量生活

我们讲保健，不仅是要通过合理调配饮食来使得自己少发病，还希望达到一种高质量的生活，希望自己和家人能够变得更聪明、更漂亮，或者能够长寿，而这些也完全可以通过调节饮食来达成的。

健脑益智

"人是有可能被累死的,许多疾病也是'累'出来的。当人类基本上控制了烈性传染病之后,因为过度疲劳而导致的体质下降与疾病就成为现代人的首要敌人了。"医学专家曾这样说。

科学家曾做过如此试验:把一条筋疲力尽而酣然入睡的狗的血液输入另一条狗,居然使后者很快就"疲劳"而熟睡不醒;把一条活泼清醒的狗的血液输入另一条疲乏入睡的狗,使后者即刻清醒、疲乏顿消。

社会竞争日趋激烈,知识经济时代更强调既拼体力又拼脑力。面对严峻的竞争形势与谋职压力,被迫人为地加大了大脑的工作强度,消耗过大而摄入不足,自然会导致脑疲劳。脑疲劳是一种亚健康状态,尤以脑力劳动者和在校学生为甚。令人忧虑的是,这种现象会诱发一系列的疾病。如果身体的总指挥部瘫痪了,健康状况也就可想而知了。

下面的 15 种现象,可检测是否患有脑疲劳。

健康自测:脑疲劳

1. 早晨醒来懒得起床。
2. 走路抬不起腿。
3. 不想参加社交活动。
4. 懒得讲话,自觉有气无力。
5. 时常呆想发愣。
6. 说话、写文章时常出错。
7. 记忆力下降。
8. 提不起精神。
9. 口苦、无味、食欲差。

10. 吸烟、饮酒的嗜好有增无减。

11. 耳鸣、头昏、目眩、眼前冒金星、烦躁、易怒 。

12. 眼睛疲劳。

13. 下肢沉重。

14. 入睡困难，易醒多梦。

15. 打盹不止，四肢像抽筋一般。

评析：

如果有上述 2 至 4 项情况时，说明你轻微疲劳，需要立即休息；有 5 项以上是重度疲劳，就应当马上去医院检查。

下面一节我们着重介绍维护脑健康的方法。坚持使用这些方法，可以有效延缓决定您健康的器官的衰老。

这是一个信息时代，智力的重要性已经不需要多说了。大脑是产生智慧的物质基础，人的智力不仅与先天遗传有关，而且与后天营养因素也有非常密切的关系。现在许多人都认识到，益智健脑不仅仅是针对儿童，许多从事脑力工作的金领白领，也都需要在日常生活中补充健脑食品，而一些健脑食品也可以有效地防治老年痴呆症。

维持人类大脑功能的主要物质，由脂质、蛋白质、糖类、维生素 B、维生素 C、维生素 E 及钙组成。这些营养成分中脂质是首要的。

良好的饮食习惯的培养

不良的饮食习惯影响大脑记忆，因此应加以避免。

1、不可暴饮暴食。吃得过多消化道扩张，过多的血液进入消化道，参与食物的消化和吸收，而大脑的血液相对不足以至脑缺氧，而缺氧对脑的影响性较大。

2、不可吃得过饱。吃得过饱，支配消化道脏器的植物神经兴奋性增强，支配消化道功能的大脑相应区域兴奋性也增强，而支配语言、思维、记忆、想象的大脑智能区域兴奋性降低，影响智力。

3、节制饮食。饮食无节制常伴有消化功能不良、便秘，可使消化道有毒物质存留时间延长而被吸收，使大脑受到毒害；腹泻时又可使大脑能量不足。消化道疾病的不良症状本身就可干扰正常的脑力活动。

健脑益智的营养素和食物

饮食为满足脑的营养需要，最好把效能不同的营养食物搭配成平衡膳食。在营养成分中，对脑的健全发育起重要作用的最佳健脑营养素和最佳健脑食物有：

1、脂肪是健脑的首要物质。脂肪在发挥脑的复杂、精巧功能方面具有重要作用。给脑提供优良丰富的脂肪，可促进脑细胞发育和神经纤维髓鞘的形成，并保证它们的良好功能。

2、蛋白质是智力活动的物质基础。蛋白质是控制脑细胞的兴奋与抑制过程的主要物质，在记忆、语言、思考、运动、神经传导等方面都有重要作用。

3、碳水化合物是脑活动的能量来源。碳水化合物在体内分解为葡萄糖后，即成为脑的重要能源。食物中主要的碳水化合物含量已可以基本满足机体的需要。糖质过多会使脑进入过度疲劳状态，诱发神经衰弱或抑郁症等。

4、钙是保证脑持续工作的物质。钙可保持血液呈弱碱性的正常状态，防止人陷入酸性易疲劳体质。充足的钙可促进骨和牙齿的发育并抑制神经的异常兴奋。钙严重不足可导致性情暴躁、多动、抗病力下降、注意力不集中、智力发育迟缓甚至弱智。

常见的健脑食物：

鱼虾和贝类：是最佳健脑食物。它们除含有丰富的优质蛋白质外，还含有钙、碘、铁、维生素以及不饱和脂肪酸，尤其是不饱和脂肪酸的数量比其他动物肉丰富，这些物质均有健脑作用。另外，鱼贝类食品的消化吸收率很高，可达95％。

鸡：鸡肉中含有丰富的蛋白质，除此之外，还含有脂肪、钙、磷、铁及各种维生素，医家素有"常食鸡能通神，食之令人聪慧"之说。同时也是儿童的理想营养食品。

蛋类：蛋类中含丰富的优质蛋白质。蛋黄中含丰富脂肪酸、类固醇及一定量的胆固醇，以及钙、磷、铁等矿物质，多种维生素。这些营养物质对大脑有良好的作用。

小米：小米中含有较多蛋白质、脂肪、钙铁以及维生素B等营养成分，且小米具有一定的防治神经衰弱的功效。因此，儿童平时吃些小米粥或小米饭，有益于增强记忆和智力发育。

动物肝脏和肾脏：这类食物含丰富的铁质。铁质供应充分方能保证血液流动正常，使大脑得到充分的氧。动物肝及肾脏本身也是良好的蛋白质来源。

蜂蜜：这是一种天然的健脑益智物质。它含有铁、铜、镁、钙、锰等矿物质，以及各种维生素和糖类。

木耳：木耳中含的营养成分主要有蛋白质、脂类、钙、磷、铁、胡萝卜素、维生素 B_1、B_2、烟酸、卵磷脂、脑磷脂等。其中卵磷脂等不饱和脂肪酸、维生素、无机盐是主要的健脑益智成分。

花生：花生的蛋白质中的赖氨酸含量高达 98.94%，还含有谷氨酸和天冬氨酸，具有促进脑细胞发育和加强记忆贮存的作用。

核桃：核桃仁中脂肪丰富，可达 40%–50%，且主要是不饱和脂肪酸——亚油酸，优质蛋白质达 15%，糖类 10%，还含有钙、磷、铁和维生素 A、B_2、E 等。核桃具有强肾补脑之功效。

绿色蔬菜：蛋白质食物的新陈代谢会产生一种名为类半胱氨酸的物质，这种物质本身对身体无害，但含量过高会引起认知障碍和心脏病。而且类半胱氨酸一旦氧化，会对动脉血管壁产生毒副作用。维生素 B_6 或 B_{12} 可以防止类半胱氨酸氧化，而深色绿叶菜中维生素含量最高。

大蒜：大脑活动的能量来源主要依靠葡萄糖，要想使葡萄糖发挥应有的作用，就需要有足够量的维生素 B_1 的存在。大蒜本身并不含有大量的维生素 B_1，但它能增强维生素 B_1 的作用，因为大蒜可以和 B_1 产生一种叫"蒜胺"的物质，而蒜胺的作用要远比维生素 B_1 强得多。因此，适当吃些大蒜，可促进葡萄糖转变为大脑能量。

除此之外，红枣、龙眼、栗子、南瓜子、葵花子、花椒、葱以及各种水果等对健脑也有一定益处。

抗衰老

长寿历来都是人类所追求的目标之一,古代帝王想"长生",所用的方法许多看起来都有些可笑,但是细想起来倒也合乎人情常理,毕竟哪个人不想活得长久一些呢。人总是要衰老的,然而,衰老的进程快慢不一,延缓衰老是每个人的心愿,凡古今长寿之人,无不饮食有节。中医养生学把饮食调摄列为重要内容,古人云:"主身者神,益气者精,益精者气,资气者食。"饮食,即人之死生系焉。"食能排泄而安五脏。"

中医有"药食同源"、"药补不如食补"之说,许多食物的延寿抗衰作用已被证实。选择新鲜食物、制作得当、饮食有节制的抗衰老作用,古人已经作了大量的阐述。早在 2000 多年以前孔子就指出,"鱼馁而肉败不食,色恶不食,臭恶不食,失饪不食,不时不食。"清朝的《寿世青编》指出:"所谓羹者,非水陆毕具,异品珍馐之谓也。"有益于人体健康的食品皆美食。"生冷勿食,粗硬勿食,勿强食,勿强饮。先饥而后食,食不过饱,先渴而饮,饮不过多。"

一、饮食习惯与抗衰老

保持稳定的体重。体重经常增减,会永久损坏皮下弹性纤维组织,皮肤一旦失去弹性,会变得衰老,出现皱纹。尽管没有特别的食物可阻止面部皱纹的增多,但恰当的饮食足以保持皮下脂肪层,延缓皮肤衰老的发生。理想的食谱提供每日所必需的热量及营养素,维持稳定而正常的体重范围。如:红薯除提供热量外,还含有丰富的维生素 A,能保持皮肤光洁;柑橘有丰富的维生素 C,有助于胶原的形成,能保持皮肤的弹性。

二、限食

动物实验表明:进行热能摄入限制而不影响足够的必需营养素的摄

取,可以延缓衰老,增加寿命。吃得过饱,不仅使消化负担加重,还可影响人体的心肺功能。宋代刘词所撰《混俗颐生录》指出,"食不欲苦饱,苦饱即伤心,伤心即气短妨闷"。饱食,"不欲便卧睡,即令患肺气,荣卫不通,血脉凝滞之使然也。"适当限食,衰老可以延缓。

限食增加寿命的机理目前还没有被明确认定,但根据已有的试验结果,可以推断出:

1、延缓生理性衰老。动物实验表明,摄入低热量、又提供足够的其他必须营养素的饲料后,动物的寿命比自由摄食的动物要长得多。

2、限食可防止肥胖症,减少一些老年病的发生,从而推迟衰老,增加寿命。

3、限食可阻止免疫机能减退,减少令人衰老的自由基的产生。

但是,任何事情都需有个度。限食不可过度,人体摄取的热量应以能满足个体生理需要为宜,并保持热量的摄取和消耗相平衡。对每一个人来说,摄取的热量可不同,以每天吃七八成饱为宜。而人体其他必需物质,如蛋白质、脂肪、维生素及无机盐不可缺乏。过度的限食可导致营养缺乏,抗病力降低,不可能达到抗衰延寿的目的。

三、适当饮水

一般说来,成年人每天至少喝 1500 毫升白开水,咖啡、茶、可乐除外。适当饮水可防止血液黏稠,有助于有毒物质从肾脏排泄,保持皮肤润泽。

四、调整饮食结构

补充维生素 E 可防止免疫力低下,预防细菌和病毒感染,含维生素 E 丰富的食品有深绿色蔬菜、豆类及带果壳的食物,如核桃、栗子。

祖国医学认为,延年增寿的饮食结构应是"多素少荤"。事实也证实了,许多长寿老年人饮食特点也是多吃蔬菜。过去这是一个悬而未解的问题。近年,国内学者研究证实,这种饮食结构通过增加或增强抗氧化物及活性,则可减弱或消除自由基反应的影响,从而达到抗衰延年的目的。据 10 种蔬菜和 4 种水果汁的抗氧化效能测定,最高是茄子,依次为豇豆、柿子椒、四季豆、香蕉、土豆、油菜、芹菜、韭菜、苹果、黄瓜、番茄、桃子、葡萄。食物中氨基酸的抗氧化效能以色氨酸活性最强,dl-蛋氨酸次之,甘氨酸最弱。

事实证明,根据清除自由基原则调配饮食,既符合营养需要,又有助于减轻氧自由基对机体的危害作用,对预防动脉硬化、心脑血管疾病、癌症等疾病和延缓衰老、延长寿命有现实意义。

五、食物的抗衰老作用

1、维生素 E。众多的学者研究证实,维生素 E 是强抗氧化剂,能阻止氧自由基对人体生物膜(如各种细胞膜)中不饱和脂肪酸的氧化、破坏。从而防止细胞衰老,延长存活期。动物实验研究结果表明,维生素 E 对动脉粥样硬化有预防作用。植物油是维生素 E 良好的提供者,也是维生素 E 的溶媒剂,维生素 E 能阻止和延缓不饱和脂肪酸中过氧化物的形成。除植物油外,维生素 E 还存在于乳类、黄油、豆类及蔬菜中。

2、生姜。生姜为姜科多年生宿根草本植物,我国是最早生产和食用生姜的国家之一。我国早在周代已开始人工栽培生姜,春秋时期人们就认识到吃姜对人体很有益。孔子指出"每食不撤姜",将姜列入食谱。《吕氏春秋》中指出:"和之美者,蜀郡扬扑之姜。"最早的中药学专著《神农本草经》就有生姜作为药用的记载。

生姜含有人体的必需氨基酸、淀粉、钙、磷、铁、硫胺素、尼克酸等成分和挥发油、辛辣素。

俗语说:"早上三片姜,赛过喝参汤。"以补脾著称的金元四大名医李东垣更是推崇姜的妙用,提出"上床萝卜,下床姜"。当生姜的辛辣成分被人体吸收后,能抑制体内过氧化脂质的形成,从而抗衰延寿。

生姜的抗衰延寿作用与生姜能防治许多疾病有关。在我国生姜素有呕家圣药之称,对晕船、晕车和某些消化道疾病引起的呕吐有特殊的疗效。在一份研究报告中指出,生姜比乘晕宁等止吐药效果都好。

3、鲍鱼。是重要的海珍食品之一,属于无脊椎动物、软体动物门、复足纲。其外壳为中药石决明,具有平肝潜阳熄风、清热、解毒、益阴的作用。常用于高血压、头晕、失眠等证的治疗。鲍鱼肉质细嫩,味道鲜美,具有调经、润燥利肠的治疗作用。据测定,鲍鱼含蛋白质 50.81%、粗脂肪 6.24%、灰分 11.27% 及无机盐。组成蛋白质的氨基酸,生物效价较高,所含无机盐中的微量元素硒可减少氧化物和超氧自由基,能够延缓人体的衰老。

美容抗皱

我们的祖先在长期的生活实践中总结出了一系列食物美容的经验，《神农本草经》就指出："鹿茸益气强志，生齿，不老，主恶疮痈肿，久服令面光泽，充盈肌肤。"人们从食物中不仅获得丰富的营养，很多食物还可润泽肌肤，保持青春长驻并起到防治皮肤病的作用。据文献介绍，有众多的食物有美容作用：

1、肉鱼类食物：猪肉以肉补肉，丰肌体，泽皮肤。鹿角胶，补阳，悦颜色。鸽，除诸疮疾，解百药毒。乌鱼煮汤，洗除汗斑。

2、菜类食物：韭菜同蜜捣烂，可涂烫火伤；葱，和蜜，可治金疮毒痈；蒜，辟瘟疫，消肿毒；芸苔菜，与韭、薤、蒜、芫荽共为道家五荤，可散游风丹毒；芋，宽肠胃，充肌肤；薯，补劳瘦，益气力，充五脏，润皮毛，生捣敷疮毒，消肿硬。

3、瓜果类食物：地瓜即番薯，清诸热邪，益气，散痈肿。大枣，补中益气，滋脾，润心肺，生津液，悦颜色。桃仁润大肠，除皮肤瘙痒。柏子仁性温，润泽皮肤，常食有益无损。莲须性涩，清心通肾，固精乌发。

4、水类：海水性温，去风瘙，消食胀；温泉水，性热，含有硫磺，有助于治疗疥癣；米泔水，性甘平，常饮调和脾胃，为浸洗良药。甑气水，性凉，洗面上口唇烂疮。

古人认为饮食清淡有益于肌肤润泽，保持年轻及健康。宜低盐饮食，进食盐多者可致水肿，有损容颜。醋"性温能敛，治口舌生疮，含漱即愈"，但也不可多食，否则收缩太过，"损齿，悴颜"。发酵食品，如酱，"患疮疖愈后勿食"，防疤黑。

近代医学已经证实了食物对皮肤美容的影响。美国皮肤科专家研究指出，含有纤维素、维生素 C 和糖的水果可以使人体皮肤少生疮疹，可使皮肤润滑、柔嫩、洁白。

苹果中含有铜、碘、锰、锌等微量元素,使皮肤滋润细腻。

胡萝卜含有丰富的维生素 A 和维生素 E,促使衰老皮肤的更新,维生素 E 阻止褐色素在皮肤中沉积,阻止面部出现褐色斑。增强皮肤的代谢功能。因此,起到养肤作用。

菠菜还有维生素 C 和铁质,有助于皮肤和指甲的美观。含有大量蛋白质的麦芽,有助于头发的生长。橙子可增加皮肤弹性,减少皱褶。

贝类食物含有大量的维生素 B_{12},有助于皮肤保持光亮。

刺梨,含有丰富的维生素 E、维生素 B 族、胡萝卜素、氨基酸和硒,可护肤美容乌发,消除色素沉着,经常食用可消除老年斑、蝴蝶斑等面部斑点,治疗痤疮,对改善干性皮肤也有一定的作用。

食用菌:据研究,银耳含有多种微量元素,可滋养皮肤,增加表皮细胞活力。所含胶质对皮肤角质层有滋养作用,延缓皮肤衰老,减少皱纹,而达到美容效果。黑木耳为高蛋白、高铁饮食,经常食用黑木耳可养血,悦颜色。

瓜类蔬菜如冬瓜、黄瓜等为低热量、高营养素饮食,均是健美减肥的理想食品,冬瓜子研细做成面膏,可使皮肤润泽白皙,消除雀斑、黄斑、蝴蝶斑。黄瓜汁润泽、清洁收敛和消除皮肤皱纹,使晦暗的皮肤变得光洁细腻。

睡眠

古人说:"不觅仙方,觅睡方。"睡眠可使中枢神经系统保持正常活动,国外研究表明,午休还能使心血管系统得到休息,心血管疾病发病的可能性减少 30%,食物催眠既可获得好的疗效,又无催眠药的各种副作用。

有催眠作用的食物

1、大枣

大枣是味道甘美的果品,有健脾、润肺、生津液、补气血、养神益智之功。因此,食后可安眠。《神农本草经》把大枣列为果品中的上品,大枣对脾胃虚弱导致疲乏无力、食欲不振、心慌气短、自汗、不眠的中老年患者尤为适宜。另外,酸枣仁含有植物油、蛋白质及植物甾醇和皂甙,催眠效果更为突出。酸枣仁(炒)15克,开水浸泡,晚上睡前30分钟服下,适于神经衰弱及脑力劳动睡眠差的老年人,缓解入睡困难,延长睡眠时间,而无不良副作用。

2、莲子

味甘,性温,补脾益肾,养血安神。莲芯主要含有莲芯碱、荷叶碱、木犀草甙、金丝桃甙。对于口舌生疮、失眠多梦及高血压等疗效非常显著。清心热,治疗心烦不眠,莲子芯10克,水煎服。莲子加蜂蜜煮粥,亦可安神,促进睡眠,提高睡眠质量。

3、牛奶

牛奶不仅含有丰富的营养,还具有良好的催眠作用。据报道,牛奶中含有一种使人产生疲倦感的称为色氨酸的物质,具有抑制兴奋的作用。夜晚睡前半小时,喝一杯热牛奶,可较快入眠,其作用温和而持久,也适于夜间醒来后再难入睡者。

4、龙眼肉

又名桂圆肉。含有维生素 AB、葡萄糖、蔗糖、酒石酸。龙眼肉甘平体润,既能补脾气,又能养血而安神。故可用于劳伤心脾、气血不足所致的失眠健忘,单用15克煎汤代茶饮,可用于老弱病后难于入睡或早醒者,对伴有神经性心悸者疗效更好。

5、桑椹

味甘酸,有重要的医疗作用。《本草纲目》指出:"能利五脏,通气血,久服不饥,安魂镇神,令人聪明。"《随息居饮食谱》指出,桑椹"滋肝肾、充血液、止消渴,利关节,解酒毒,去风湿,聪耳明目,安魂镇魄"。桑椹甘寒,适于阴血亏虚、风阳上扰所致的失眠眩晕。具有镇静催眠作用,临床上已用于神经衰弱。

排毒养颜

排毒的方法

1、自然界中的毒素：是大气与水源中的污染物，通过呼吸及进餐侵入人体内，铅、铝、汞等重金属是其代表。可以主动咳嗽或在空气比较好的地方进行深呼吸以排毒。借助主动咳嗽可以"清扫"肺脏，每天到室外空气清新处做深呼吸运动，深吸气时缓缓抬起双臂，然后主动咳嗽，使气流从口、鼻中喷出，咳出痰液。

2、人体代谢后的废物：如自由基、吲哚、硫化氢等。这些毒素的排除需要充分饮水。最好每天清晨空腹喝一杯温水，不仅可稀释毒素在体液中的浓度，还可促进肾脏新陈代谢，将更多毒素排出体外。

3、保证充足的睡眠，放松心情，给大脑减压。人在情绪波动时，不仅仅是对自己发生精神影响，人体内也会相应的产生一些毒素。研究发现，人们在情绪压抑时，会产生某些对人体有害的生物活性成分。所以要尽量放松心情。人体在睡眠的时候得到充分的休息，另外身体各项机能活动减少，可以减少体内毒素的产生，又利于排毒过程的进行。

4、不要空腹吃对胃刺激大的过酸、过辣的食物。尽量规律用餐，保证胃的健康，一旦人体消化吸收功能出现问题，一些毒素也就容易趁虚而入了。

5、每天洗 10~15 分钟温热水浴，以促进淋巴回流，天冷时可每天用热水泡脚代替。

6、正常人的泪水是咸的，糖尿病人的泪水是甜的。人们遇到悲伤的事情时，如果能放声痛哭一场，流泪后心情往往会好受许多，这是由于悲伤引起的毒素，通过眼泪已得到排泄之故。很少流泪的人不妨每月借助切洋葱痛快地哭一次，哭完后别忘了补充水分。

饮食排毒

如果你不愿意花费太多，那就在日常生活中吃些解毒食物吧！

1、绿豆汤。味甘，性凉，有清热、解毒、祛火之功效，是我国中医常用来解多种食物或药物中毒的一味中药。绿豆富含维生素B族、葡萄糖、蛋白质、淀粉酶、氧化酶、铁、钙、磷等多种成分，常饮绿豆汤能帮助排泄体内毒素，促进机体的正常代谢。许多人在进食油腻、煎炸、热性的食物之后，很容易出现皮肤痒、暗疮、痱子等症状，这是由于湿毒溢于肌肤所致。绿豆则具有强力解毒功效，可以解除多种毒素。现代医学研究证明，绿豆可以降低胆固醇，又有保肝和抗过敏作用。绿豆汤是最好的解毒水剂。经常接触化肥、农药等有害物质者，在日常饮食中应多吃些绿豆汤、绿豆粥、绿豆芽。

2、茶叶。性凉，味甘苦，有清热除烦、消食化积、清利减肥、通利小便的作用。古书记载："神农尝百草，一日遇七十二毒，得茶而解之。"说明茶叶有很好的解毒作用。茶叶具有加快体内有毒物质排泄的作用，这与其所含茶多酚、多糖和维生素C的综合作用是分不开的。茶叶富含铁、钙、磷、维生素A、维生素B_1、尼克酸、氨基酸以及多种酶，其醒脑提神、清利头目、消暑解渴的功效尤为显著。现代医学研究表明，茶叶中富含一种活性物质——茶多酚，具有解毒作用。茶多酚作为一种天然抗氧化剂，可清除活性氧自由基，可以保健强身和延缓衰老。

3、胡萝卜。味甘，性凉，有养血排毒、健脾和胃的功效，素有"小人参"之称。胡萝卜富含糖类、脂肪、挥发油、维生素A、维生素B_1、维生素B_2、花青素、胡萝卜素、钙、铁等营养成分。现代医学已经证明，胡萝卜是有效的解毒食物，它不仅含有丰富的胡萝卜素，而且含有大量的维生素A和果胶，与体内的汞离子结合之后，能有效降低血液中汞离子的浓度，加速体内汞离子的排出。

4、木耳。味甘，性平，有排毒解毒、清胃涤肠、和血止血等功效。古书记载，木耳"益气不饥，轻身强志"。木耳富含碳水化合物、胶质、脑磷脂、纤维素、葡萄糖、木糖、卵磷脂、胡萝卜素、维生素B_1、维生素B_2、维生素C、蛋白质、铁、钙、磷等多种营养成分，被誉为"素中之荤"。木耳中所含的一种植物胶质，有较强的吸附力，可将残留在人体消化系统的灰尘杂质集中吸附，再排出体外，从而起到排毒清胃的作用。

5、冬菇。味甘,性凉,有益气健脾、解毒润燥等功效。冬菇含有谷氨酸等 18 种氨基酸,在人体必需的 8 种氨基酸中,冬菇就含有 7 种,同时它还含有 30 多种酶以及葡萄糖、维生素 A、维生素 B_1、维生素 B_2、尼克酸、铁、磷、钙等成分。现代医学研究认为,冬菇含有多糖类物质,可以提高人体的免疫力和排毒能力,抑制癌细胞生长,增强机体的抗癌能力。此外,冬菇还可降低血压、胆固醇,预防动脉硬化,有强心保肝、宁神定志、促进新陈代谢及加强体内废物排泄等作用,是排毒壮身的最佳食菌。

6、荔枝。味甘、酸,性温,有补脾益肝、生津止渴、解毒止泻等功效。李时珍在《本草纲目》中说:"常食荔枝,补脑健身……"《随身居饮食谱》记载:"荔枝甘温而香,通神益智,填精充液,辟臭止痛,滋心营,养肝血,果中美品,鲜者尤佳。"现代医学认为,荔枝含维生素 A、B_1、C,还含有果胶、游离氨基酸、蛋白质以及铁、磷、钙等多种元素。现代医学研究证明,荔枝有补肾、改善肝功能、加速毒素排除、促进细胞生成、使皮肤细嫩等作用,是排毒养颜的理想水果。

7、海带。味咸,性寒,具有消痰平喘、排毒通便的功效。海带富含藻胶酸、甘露醇、蛋白质、脂肪、糖类、粗纤维、胡萝卜素、维生素 B_1、维生素 B_2、维生素 C、尼克酸、碘、钙、磷、铁等多种成分。尤其是含丰富的碘,对人体十分有益,可治疗甲状腺肿大和碘缺乏而引起的病症。它所含的蛋白质中,包括 8 种氨基酸。海带的碘化物被人体吸收后,能加速病变和炎症渗出物的排除,有降血压、防止动脉硬化、促进有害物质排泄的作用。同时,海带中还含有一种叫硫酸多糖的物质,能够吸收血管中的胆固醇,并把它们排出体外,使血液中的胆固醇保持正常含量。另外,海带表面上有一层略带甜味儿的白色粉末,是极具医疗价值的甘露醇,具有良好的利尿作用,可以治疗药物中毒、浮肿等症,所以,海带是理想的排毒养颜食物。

8、黄瓜。味甘,性平,又称青瓜、胡瓜、刺瓜等,原产于印度,具有明显的清热解毒、生津止渴功效。现代医学认为,黄瓜富含蛋白质、糖类、维生素 B_2、维生素 C、维生素 E、胡萝卜素、尼克酸、钙、磷、铁等营养成分,同时还含有丙醇二酸、葫芦素、柔软的细纤维等成分,是难得的排毒养颜食品。黄瓜所含的黄瓜酸,能促进人体的新陈代谢,排出毒素。维生素 C 的含量比西瓜高 5 倍,能美白肌肤,保持肌肤弹性,抑制黑色素的形成。黄瓜还能抑制糖类物质转化为脂肪,对肺、胃、心、肝及排泄系统都非常有益。夏日里容易烦躁、口渴、喉痛或痰多,吃黄瓜有助于化解炎症。

9、蜂蜜。味甘,性平,自古就是滋补强身、排毒养颜的佳品。《神农本草经》记载:"久服强志轻身,不老延年。"蜂蜜富含维生素 B_2、C,以及果糖、葡萄糖、麦芽糖、蔗糖、优质蛋白质、钾、钠、铁、天然香料、乳酸、苹果酸、淀粉酶、氧化酶等多种成分,对润肺止咳、润肠通便、排毒养颜有显著功效。近代医学研究证明,蜂蜜中的主要成分葡萄糖和果糖,很容易被人体吸收利用。常吃蜂蜜能达到排出毒素、美容养颜的效果,对防治心血管疾病和神经衰弱等症也很有好处。

10、苦瓜。味甘,性平。中医认为,苦瓜有解毒排毒、养颜美容的功效。《本草纲目》中说苦瓜"除邪热,解劳乏,清心明目"。苦瓜富含蛋白质、糖类、粗纤维、维生素 C、维生素 B_1、维生素 B_2、尼克酸、胡萝卜素、钙、铁等成分。现代医学研究发现,苦瓜中存在一种具有明显抗癌作用的活性蛋白质,这种蛋白质能够激发体内免疫系统的防御功能,增加免疫细胞的活性,清除体内的有害物质。苦瓜虽然口感略苦,但余味甘甜,近年来渐渐风靡餐桌。

不利于排毒的生活习惯

1、断食。绝食不等于排毒,反而会让新陈代谢能力减弱,人体正常的排毒机能也会受到影响。

2、缺乏运动。不能光依赖排毒补充品而不做运动,流汗也是一种人体的排毒过程,一些代谢终产物,也就是人体"废料"会借助流汗排出来。运动不仅能增强人体的抵抗力,运动时大量流汗,也可以排除人体内的毒素。

3、易怒。发火和情绪波动比较大的时候,体内的部分器官会释放出特殊的有害化学物质,这些物质会影响体内整个循环系统的运作。

生活环境对人体健康的影响

环境因素自古以来就非常受到人们重视，如《黄帝内经》里就有明确的记载："一州之气，生化寿夭不同，其故何也？歧伯曰：高下之理，地势使然，崇高则阴气治之，污下则阳气治之。阳胜者先天，阴胜者后天，此地理之常，生化之道也……高者其气寿，下者其气夭，地之小大异也，小者小异，大者大异。"非常清楚地指出了：居住在空气清新、气候寒冷的高山地区的人多长寿，居住在空气污浊、气候炎热的低洼地区的人多短寿。可见，居住地方的水土、气候环境对人体的健康长寿是非常重要的。

不但自然环境与人们的健康息息相关，社会环境同样和人们的身体状况紧密关联。如《黄帝内经》里就指出："凡欲诊病者，必问饮食居处，暴乐暴苦，始乐始苦，皆伤精气，精气竭绝，形体毁沮。"非常明确地阐明了诊治疾病要注意社会心理因素的影响。相传，帝尧时代人们就凿井汲水而饮。春秋战国时期居民中还制订了清洁饮水公约，不遵守者以法律处理。我国考古挖掘的古城遗址遗物证实，春秋战国时期的城市地下已有用陶土管修建的下水道，不仅注意到饮水卫生，而且还注意到保护环境卫生。

环境，人们所接触的涉及生物环境、生活环境和社会心理环境等。

生物环境知多少

生物圈中的生命物质都是相互依存、相互制约的，它们之间不断进行物质能量和信息的交换，共同构成生物与环境的综合体，即生态系统。

人类依靠生物构成稳定的食物链，从而获得生存所必需的营养素；利用生物制成药物防治疾病；绿化美化环境陶冶情操等。

20世纪70年代以来，以重组DNA（脱氧核糖核酸）技术为核心的现代生物技术蓬勃发展，生物技术产品销售额迅速增长，特别是在农牧业、食品工业等方面，已经产生了巨大的经济效益和社会效益。但是，现代生物技术对生态环境和人类健康也带来了潜在危害，引起了广泛忧虑，并有人提出了生物安全的概念。

狭义的生物安全问题，是指现代生物技术的研究、开发、应用以及转基因生物的跨国越境转移可能对生物多样性、生态环境和人类健康产生潜在的不利影响。特别是各类转基因活生物体释放到环境中，可能对生物多样性构成潜在威胁。

广义的生物安全问题是国家安全问题的组成部分，是指与生物有关的各种因素对社会、经济、人类健康及生态环境所产生的危害或潜在风险。

与生物有关的各种因素，一是天然的生物因子，主要包括动物、植物和微生物。其中由微生物特别是致病性微生物所导致的安全问题，如生物武器、生物恐怖、重大传染病的暴发流行等，是人类社会所面临的最重要、最现实的生物安全问题。二是转基因生物，主要包括转基因动物、转基因植物和转基因微生物。三是生物技术。人们在利用生物技术造福人类的同时，也可能带来意想不到的安全问题，特别是生物技术的滥用对人类健康、生态环境以及社会、经济都可能造成严重危害。

现代生物技术可以使基因在人、动物、植物和微生物之间进行人为的相互转移，目前人类对这种基因调整后的结果尚无法完全把握。科学家指出，生物技术最有可能在以下几个方面给人体健康和生态环境造成不良后果：

1、现代生物技术食品对人体健康的直接影响。转基因生物作为食品进入人体，很可能出现某些毒理作用和过敏反应；转基因生物使用的抗生素标记基因可能使人体对很多抗生素产生抗性；转入食品中的生长激素类基因可能对人体生长发育产生重大影响，有些影响需要经过长时间才能表现和监测出来；转基因微生物可能与其他生物交换遗传物质，产生新的有害生物或增强有害生物的危害性，以致引起疾病的流行。

2、现代生物技术及其产品对生态环境的影响。生物的功能是在与环境的不断对抗中得以进化的,现代生物工程作物具有的抗性可能会加速昆虫对抗性的进化。例如,一些毒性比较大的农药的使用,会增加害虫的抗药性,使农药用量增加,污染区域生态环境。另一方面,存在于转基因植物中的具有某种抗性的基因,有可能通过杂交转移到其野生或半驯化种群中去,在特定条件下增强这些植物杂草化的特性,致使生态环境受到破坏。

3、现代生物技术对生物多样性的影响。转基因动物一般具有普通动物所不具备的某种优势特征,它们如果逃逸到自然环境中,可能通过改变物种间的竞争关系而破坏原有的自然生态平衡,导致生物多样性的丧失。转基因植物具有较强的野外适合度,因而可能对生物多样性和生态平衡造成影响。转基因微生物则可能取代其他物种,对生物多样性造成无法挽回的损失。

关于生物环境对人体健康的影响,经过长期的发展,目前已经为多数人所重视。例如越来越多的人关注绿色无公害食品,而不仅仅是看水果蔬菜的外观是否漂亮,越来越多的人认识到野生动物身上带有某种不可知的因素对人体健康的潜在影响等等。但是,对于一些打着高科技旗号的新名词食品,一些人重视程度还不够,更有人盲目的追求新潮,以为印上高科技名词就代表了健康,其实是一个很大的误解。

对于生物环境的安全,除了国家相关部门的监督外,对于我们自身来讲,也应该注重收集这方面的信息,增加自身的辨别能力,这样才能保证自己和家人不受生物环境中不可知因素的威胁。

美化生活环境

人类生存的环境中有天然的无机化学物质、人工合成的化学物质以及动植物体内、微生物内的化学组分。天然存在的无机化学物质是构成机体的主要物质,有些元素在生物体内含量很少,但不可缺少,称为微量元素。很多化学元素在正常接触和使用情况下对机体无害,过量或低剂量长时期接触时会产生有害作用(称为毒物)。

环境中常见的化学因素包括金属和类金属等无机化合物;煤、石油等能源在燃烧过程中产生的硫氧化合物、氮氧化合物、碳氧化合物、碳氢化合物、有机溶剂等;生产过程中的原料中间体或废弃物(废水、废气、废渣);农药;食品添加剂及以粉尘形态出现的无机和有机物质。化学物质在创造人类高度文明的同时,也给人类健康带来不可低估的损害。

人们在日常生活和生产环境中接触到很多物理因素,如气温、气湿、气压、声波、振动、辐射(电离辐射与非电离辐射)等。在自然状态下物理因素一般对人体无害,有些还是人体生理活动必需的外界条件,只有通过一定强度和(或)接触时间过长时,才会对机体的不同器官和(或)系统功能产生危害。随着科技进步和工业发展,人们从生活环境和生产环境中接触有害物理因素的机会愈来愈多,因而它所造成的健康危害应予足够的重视。

我们生活的环境中影响人体健康的因素很多,难以一一认知并列举,但是一般人平时接触的生活环境,无非可以分为室内环境和室外环境几种。

对于工作环境中有危害因素存在的人,例如粉尘、有害气体等,除了在工作中要求提供必要的防护措施外,在生活中可以多吃一些排毒的食物,例如菌类、木耳、绿豆、苦瓜等。

室内环境卫生的好坏,直接影响人的健康。无论是在办公室内还是自己的家中,都要注意以下几点:

通风:室内要经常通风换气,把各种有害气体以及灰尘和微生物排出室外,让新鲜空气补充进来。

照明:室内照明亮度,应根据房间大小及生活需要而定,光线过强会引起精神紧张,过弱则会易引起精神疲惫。

湿度:湿度对人体健康影响很大,当空气中的湿度低于30%时,会因上呼吸道黏膜水分大量丢失而引起咽喉干燥。湿度达到80%以上时则会使人感到憋闷。因此,平时应注意调节寒冷和炎热环境下的居室湿度。

温度:一般情况下,居室内温度以18℃为标准,昼夜温差波动不宜超过 2℃~3℃。

噪音：随着厂矿企业、机动车的大幅度增加，噪音成为一种公害。过强噪声影响人体的生理功能、损害健康，会使人感到疲倦、不安、紧张和失眠。可根据情况装双层玻璃或其他隔音设备。

绿化：在室内或庭院栽种一些适宜的绿色植物是调节空气、美化环境的大好举措。

关于室内环境，最为人们所重视的，危害最大的也就是在室内装修后的一段时间了。

很多人对家庭装修室内环境污染并不在意，并存在不少的误区，比如说家中今年没有装修就不用考虑家庭空气污染，事实上你可能刚买了一个新的书柜或者鞋柜，这些新家具也可能带来新的污染。

我们都喜欢凭着自己的感观来判断是否有害，事实上并非室内有异味的时候才有污染。有些污染性物质根本不产生气味，或者产生的气味你根本闻不到。

有些人喜欢选用贵的装饰材料，认为找了正规的装修企业就不会有问题，事实上没有可以保证百分之百无污染的材料，即使再正规再合格再昂贵，做足防范工夫一定不会错。

装修环境等引起的急性疾病的确多发生在半年内，但是有的污染是长期慢慢产生的，所以如果用了可疑材料，而自己又在搬入新房后有时常感冒头痛等情况，最好还是找检测部门测一测。另外，增加自己的免疫力也相当重要。

另外，随着电脑的普及，有些人的工作可能要长时间面对着电脑或者其他设备的屏幕。电磁辐射对人体有一定影响影响，尤其是长期接触这种辐射的人，更是危害很大，所以无论是工作还是娱乐中都要注意对其进行防护。

电脑使用后，脸上会吸附不少电磁辐射的颗粒，要及时用清水洗脸，这样将使所受辐射减轻 70%以上。另外，据说在电脑桌前放置一盆仙人掌有助于减少辐射。

常用电脑的人会感到眼睛不适，视力下降，易有疲劳的感觉，在饮食上应注意以下几方面：

吃一些对眼睛有益的食品，如鸡蛋、鱼类、鱼肝油、胡萝卜、萝卜、动物肝脏等。

多吃含钙质高的食品,如豆制品、骨头汤、鸡蛋、牛奶、瘦肉、虾等。

注意维生素的补充:多吃含有维生素的新鲜水果、蔬菜等。

注意增强抵抗力:多吃一些增强机体抗病能力的食物,如香菇、蜂蜜、木耳、海带、柑桔、大枣等。

吃一些抗辐射的食品:饮茶能降低辐射的危害,茶叶中的脂多糖有抗辐射的作用。螺旋藻、沙棘油也具有抗辐射的作用。

电脑摆放位置很重要。尽量别让屏幕的背面朝着有人的地方,因为电脑辐射最强的是背面,其次为左右两侧,屏幕的正面反而辐射最弱。人在电脑前以能看清楚字为准,至少也要 50 厘米到 75 厘米的距离,这样可以减少电磁辐射的伤害。

注意室内通风:科学研究证实,电脑的荧屏能产生一种叫溴化二苯并呋喃的致癌物质。所以,放置电脑的房间最好能安装换气扇,倘若没有,上网时尤其要注意通风。

注意社会心理环境

心理环境是指在特定的社会环境条件下,导致人们在社会行为方面乃至身体、器官功能状态产生变化的因素。心理环境着重于个体和内在情绪(兴奋、抑制、焦虑、忧郁、恐惧、愤怒、悲伤等心理紧张)及对周围环境和事物的态度和观念。

由于社会环境的变动常会影响个体的心理和躯体的健康,人们的心理又常与社会环境密切相关,因而常称为社会心理环境。

人类健康和疾病是一种社会现象,健康水平的提高和疾病的发生、发展及转归也必然会受到社会因素的制约。社会因素一般包括社会制度、社会文化、社会经济水平,它影响人们的收入和开支、营养状况、居住条件、接受科学知识和受教育的机会等,社会因素还包括人们的年龄、性别、风俗习惯、宗教信仰、职业和婚姻状况等。

　　社会心理环境，目前在我国社会已经逐渐成为一个严重的影响人们健康的问题，尤其是青少年的心理问题，已经为许多人所关注，但是由于心理健康学科在我国发展的比较慢，一些西方的心理学理论是针对西方的社会和文化环境所设立，与我国的国情还是有很大差别。我们将在下文详细论述。

第三章
动态密码——保健运动

　　《吕氏春秋·尽数篇》说:"流水不腐,户枢不蠹。形气亦然,形不动则精不流。精不流则气郁。"而华佗更进一步指出:"人体欲得劳动,但不当使极身。动摇则谷得消,血脉流通,病不得生,当譬犹户枢,终不朽也。"诸如此类的论述都强调重视运动锻炼。

　　当然,运动应谨记"过犹不及"的道理。强调适度,并要求持之以恒。过于剧烈的运动和不科学的运动方式有害无益。科学合理的运动才能有效提高人体的新陈代谢,使各器官充满活力,从而推迟各器官的衰老。

体育运动

"生命在于运动"这是一句耳熟能详的至理名言。生命对于我们每个人而言即是宝贵的,也是脆弱的。珍惜生命,自然离不开运动。而运动本身为人们指明了预防疾病、消除疲劳、获取健康长寿的重要途径。

您不妨先做几个简单的运动,对自己的健康情况做个小测试。

健康自测:运动体检

通过以下几方面的自我测试,可从各个侧面对自身健康状况有个大致的了解。由于各自情况大不一样,所得数据仅供参考。

心脏功能测试:在1分钟时间里,向前弓背弯腰20次,前倾时呼气,直立时吸气。弯腰之前先测试计录自己的脉搏,在做完运动后立即再测试自己的脉搏,运动结束1分钟后再测,将此3项数据相加,减去200,除以10。

评析:

如所得数为0-3,表明心脏功能极佳;3-6良好;9-12较差;12以上请立即就医。

呼吸功能测试:在安静状态下正常地呼吸,记录每分钟的呼吸频率。

下述频率为各年龄段的最佳数,超过或低于该数据者均属欠佳:20岁每分钟最佳呼吸频率(一呼一吸为一次)为18-20次;30岁为15-18次;40岁为10-15次;50岁为8-10次;60岁为5-10次。

屏气测试：深吸一口气，然后屏气，时间越久越好，再慢慢呼出，呼出时间 3 秒钟为最理想。

评析：

最大限度屏气，一个 20 岁、健康状况甚佳的人，可持续 90－120 秒。而一个年满 50 岁的人，约为 30 秒左右。

体力、腿力测试：一步迈两个台阶地爬楼梯。

评析：

如一步迈两台阶，能快速登上 5 层楼，说明健康状况良好；

一级一级登上 5 层楼，没有明显的气喘现象，健康状况不错；

如果气喘吁吁，呼吸急促，为较差型；

登上 3 楼就又累又喘，意味着身体虚弱，应到医院进一步查明原因，切莫大意。

仰卧起坐测试：仰卧地上或床上，双腿压住，双手交叉，置于胸部，抬起上半身向前倾，使手碰到双脚。一分钟为限，记录上半身直落的次数。

评析：

20 岁 1 分钟的最佳成绩为起落 45－50 次；

30 岁为 40－45 次；

40 岁为 35－40 次；

50 岁为 25－30 次；

60 岁为 15－20 次。

如果测试的结果您不满意，就要立刻开动自己的运动马达，让自己"动"起来，健康起来！

体育运动与养生

《寿世保元》说："养生之道，不欲食后便卧及终日稳坐，皆能凝结气血，久则损寿。"说明运动能够促进气血畅达，增强抗御病邪能力，提高生命力，故著名医家张子和强调"惟以血气流通为贵"。

1、运动可增强脾胃功能

运动有强健脾胃的功能，促进饮食的消化输布。而脾胃健旺，气血生化之源充足，才能健康长寿。

2、运动可加强心脏功能

对哈佛大学 17000 名毕业生普查的一份研究报告中指出：经常进行积极的运动，可使心脏病发作的危险性减少 35%。

3、运动能增加肺的功能

常锻炼的人，由于肺脏弹性大大增加，呼吸肌力量也增大，故肺活量比常人大 1000 毫升左右。此外，运动又可使呼吸加深，提高呼吸效率。还有，经常运动锻炼，又可适应气候变化，从而有助于预防呼吸道疾病。

4、运动能提高肾脏的功能

这是因为运动使新陈代谢旺盛，代谢废物大部分通过肾脏排泄掉，使肾机能得到很大锻炼。中医认为肾主骨，不少中老年人常见的骨质脱钙、骨质增生、关节挛缩等疾病，也可通过经常的锻炼而得以预防。

5、运动使人精神愉快

体育运动可促使脑血循环,改善大脑细胞的氧气和营养供应,延缓中枢神经细胞的衰老过程,提高其工作效率。尤其是轻松的运动,可以缓和神经肌肉的紧张,收到放松镇静的效果,对神经官能症、情绪抑郁、失眠、高血压等,都有良好的治疗作用,正如美国医生怀待所说:"运动是世界上最好的安定剂。"

一些有针对性的体育锻炼方法:

抗衰运动:抗衰老的健身方法首推跑步,实验证明,只要持之以恒坚持健身跑,就可以调动体内抗氧化酶的积极性,从而收到抗衰老的作用。

减肥运动:以手脚并用的效果最好,如滑雪、游泳等。如果你正当壮年,也可以选择拳击、举重、爬山等运动,对消耗脂肪特别有效。

健美运动:不少青年男女追求健美,只要持之以恒进行健美操和体操运动,加强平衡性和协调性锻炼,就会收到明显效果。

抗高血压运动:可供高血压病人选择的运动方式有散步、骑自行车、游泳等,不宜采用举、拉、推、挑重物之类的活动,因为这些可诱发血压上升。

防近视运动:打乒乓球对于增强睫状肌的收缩功能很有益,奥妙在于打乒乓球时,眼睛以乒乓球为目标,不停地远、近、上、下调节和运动,不断使睫状肌放松和收缩,眼外肌也在不停地收缩,大大促进眼球组织的血液供应和代谢,因而能行之有效地预防近视。

保护心脏运动:散步可以使心肌收缩力增强,外周血管扩张,具有增强心脏功能,降低血压,预防冠心病的效果。慢跑或原地跑步亦可改善心功能。

运动养生的原则及注意事项

1、循序渐进，量力而行

运动养生是通过锻炼来达到养生延年的目的。锻炼时一定掌握好运动量的大小，太小达不到锻炼的目的，太大则超过了机体的耐受限度，又会使身体因过度疲劳而受损。运动量应从小到大，时间从短到长，循序渐进。任何人，如果在运动结束 10 分钟后，心跳次数每分钟仍在 100 次以上，则不应再加大运动量，应根据情况适当减少运动量。

2、持之以恒，坚持不懈

锻炼身体不是一朝一夕的事，要注意经常坚持不能间断。那句名言"流水不腐，户枢不蠹"一方面指出了"动则不衰"的道理，另一方面也强调了经常、不间断锻炼的重要性。因此，只有持之以恒、坚持不懈进行适当的运动，才能收到养生健身的功效。

3、有张有弛，劳逸适度

运动养生，并非指要持久不停地运动，而要有张有弛、有劳有逸，才能达到养生的目的。紧张有力的运动，要与放松、调息等休息状态相交替；长时间运动，一定要注意适当地休息，否则会影响工作效率，导致精神疲惫，甚至影响养生健身。

4、运动有时，适可而止

运动虽然对人体有好处，但也要选择正确的运动时间，例如进餐与运动至少间隔 1 小时以上。运动最适宜的温度是 4℃-30℃。有些人则不适合在早晨锻炼，根据国外学者测定，上午 6 时至 9 时是冠心病和脑出血发作最危险的时刻，发病率要比上午 11 时高出 3 倍多。另外，人体在上午时段交感神经活性较高，随之而来生物电不稳定性增加，易导致心律失常，可能出现室颤，引起猝死。所以，大家在进行体育锻炼时，要避开心血管事件"高峰期"，将时间安排在下午及傍晚进行。

另外运动也需要根据自己的身体实际状况及时调整。运动时若出现头晕、头痛、心慌、恶心、呕吐等不适症状时，应立刻停止，必要时需就医。

5、缓启缓止，饮食有度

有些人根据身体需要，进行一些剧烈的运动。在进行这些运动时，一定要注意缓启缓止。若是一下子将运动能力提高到极限，这样身体各项机能来不及反应，反而会造成损害。所以在剧烈运动前一定要进行一些较为缓和的热身运动。另外，剧烈运动后也不宜突然停下。如果剧烈运动刚一结束就停下来休息，肢体中大量的静脉血就会淤积于静脉中，心脏就会缺血，大脑也就会因供血不足、缺氧而出现头晕、恶心、呕吐、休克等症状。所以剧烈运动，如长跑之后应逐渐改为慢跑，再走一走，做几下深呼吸，这样肌肉就会轻快地消除疲劳。

另外，经过剧烈运动，人体水分和热量消耗过大，需要及时补充。但是也不可立刻大量饮水或进食。

剧烈运动后如果因渴一次性喝水过多，会使血液中盐的含量降低，天热汗多，盐分更易丧失，降低细胞渗透压，导致钠代谢的平衡失调，发生肌肉抽筋等现象。由于剧烈运动时胃肠血液少、功能差，对水的吸收能力弱，过多的水分会渗入到细胞和细胞间质中。脑组织是被固定在坚硬的颅骨内的，脑细胞肿胀会引起脑压升高，使人出现头疼、呕吐、嗜睡、视觉模糊、心律缓慢等"水中毒"症状。剧烈运动时，由于血液多集中于肢体肌肉和呼吸系统等处，而消化器官血液相对要少，消化吸收能力差，运动后需要经过一段时间调整，消化吸收功能才能逐渐恢复。

还有就是注意剧烈运动过后不可立刻吹风扇，不可进行游泳或冷水浴，不可吸烟等。

太极拳

太极拳的养生功能

太极拳是我国武术中最为优秀的拳术之一，很早以前就在我国民间流传，几世纪以来，实践证明太极拳是一种极为有效的健身与预防疾病的手段，是一种把我国源远流长的拳术、导引术、吐纳术三者结合，加以创新的治病强身、增强体质和延年益寿的体育运动。在太极拳经典论著中，就有"详推用意终何在，益寿延年不老春"的话。太极拳运动的特点，是举动轻灵，运作和缓，呼吸自然，用意不用力；是静中之动，虽动犹静，静所以养脑力，动所以活气血，内外兼顾，身心交修；也就是使意识、呼吸、动作三者密切结合，从而达到调整人体阴阳，疏通经络，和畅气血，使人的生命得以旺盛，故可使弱者强，病者康，弱者复壮，起到增强体质、祛病延年的作用。

从拳理来讲，太极拳是以道家哲学、中医术、阴阳学、力学等理论为基础的一种玄妙的拳法，它是由调心、调身、调息、统一协调贯彻始终的一种强调精气神统一修炼的技艺。它不仅是一种形体运动，而且还是一种对人的生理、心理全部调节，使之达到完全合理自然的一种运动。如三丰祖师在太极拳要诀中说："人之作用，有动必有静，静极生动，动静相因，而阴阳分浑然——太极也。"

实践证明，练太极拳（传统太极拳）除增强体质外还是辅助治疗高血压、溃疡病、心脏病、高血脂、肩周炎、颈椎病、肥胖病等的好方法，而且疗效明显，过去一直被人们忽略的重要治疗方法——应用太极运动来防病治病，已经被用到临床工作中，并且已被公认为治病过程中的必要环节。

现代医学研究表明，太极拳和一般的健身体操不同，除去全身各个肌肉群、关节需要活动外，还要配合均匀的深呼吸与横膈运动，而更重要的是需要精神的专注心静、用意,这样就对中枢神经系统起了良好的影响,从而给其他系统与器官的活动和改善打下了良好的基础。

中医学认为气、血是构成人体的基本物质,是人体脏腑、经络、组织器官活动的物质基础。气为血帅,血为气母,气血的调和与通畅是人体健康的关键。太极拳着重于对精、气、神的修炼,尤其在锻炼时要求以意导体、以体导气,从而使气血运行流畅而致平和。它能加强血液淋巴的循环,减少体内的淤血现象,按摩血管,是一种用来消除体内淤血增强血管的弹性,使血液畅通无阻的良好方法。

练太极拳具有的功能

一是心静用意,强心健脑。太极拳能改善大脑功能,调节大脑皮层兴奋与抑制活动,对于神经衰弱、失眠、头晕、过度疲劳等不良状态有显著的改善作用。

二是松沉自然,活血健身。太极拳要求全身放松,使人体的血管阻力减少,加速血液循环,减轻心脏负担,无疑有利于养生健身。

三是气行深长,调气益肺。太极拳呼吸采用腹式深呼吸,要求气息下沉,做到深、长、匀、缓等,提高肺脏的通气和换气功能,这能对心肺产生良好的按摩保健作用。

四是腰为原动,固肾增寿。太极拳有"腰为主宰"、"丹田内转"、"两肾抽提"等技术要求,实为充分练习腰腹部的动动,能有效地促进肾脏功能,增精延年。

五是气敛入骨,壮骨生精。太极拳动作缓慢,凡出腿迈腿总要求一腿完全支撑体重,这样下肢骨骼受力时间相对较长,从而达到壮骨生髓,加上太极拳在弧形旋转运动中肌肉对骨骼的作用,大大促进了对骨骼系统的锻炼作用,延缓腿部衰老,永葆青春。

六是胸怀太极,怡情养性。太极拳理根于中国古代太极、阴阳、中庸等众多文化基础,讲天人合一,重刚柔并济,求四两拨千斤。

练习太极拳的注意事项

太极拳虽然极易上手,而且适用于各种人群,但是在练习的时候也需要注意几点:

一是要持之以恒。太极拳良好的养生保健功效,但是同中国其他的养生理论一样，只有经过长期的锻炼才能发挥出来，是一个日积月累的过程，具有身体不练则退的规律。

另外，身体的康复和体质的改善是一个缓慢的过程。太极拳具有健身疗病作用，但不具"立竿见影"之效。就太极拳本身拳理来讲，太极拳养生保健功效是"练身、练气、练意"综合锻炼的结果，能掌握太极拳真谛，本身就一个较为长期的过程，"冬练三九，夏练三伏"，正是体现了练拳的不可间断性。

二是顺其自然，不可强求。太极拳运动采用腹式呼吸方法，要求深、匀、细、缓、长，但初练者不必刻意追求这些，只要采用通顺的自然呼吸就可以了。腹式顺呼吸也是达到腹式逆呼吸的必由之路，腹式逆呼吸会加大躯体神经系统对呼吸的调控，从而对自主神经系统调节内脏机能产生更加良好的影响。

但初练者不能盲目采用这种呼吸方法，否则不仅会顾此失彼，影响运动习练，甚至会出现憋气等现象。实际上，只要随着动作的熟练，腹式顺呼吸越发越协调，达到腹式逆呼吸只是瓜熟蒂落的事情。太极拳哲理取法自然，所以初练者务必遵循呼吸要畅利的原则，切忌急于求成。

三是选择适合自己的拳法。一般而言，体力较好的患者可练老式太极拳，体力较差者可练简化式太极拳。不能打全套的，可以打半套，体弱和记忆力差的可以只练个别动作，分节练习，不必连贯进行。

瑜伽

身材美在于匀称、适度。肌肉美在于富有弹性和协调。过胖过瘦或肩、臀、胸部的细小无力，以及由于某种原因造成的身体某部分肌肉的过于瘦弱或过于发达，都不能称为身材美。

以下的小测试，可以让您知道自己的身材到底美不美。

健康自测：身材解析

从理论上讲,女性的身高与体重、四肢与躯干等部位在一定的比例下最美。专业人士在进行了大量研究后,终使美丽得以量化:

1.上、下身比例:以肚脐为界,上下身比例应为 5 比 8,符合"黄金分割"定律。

2.胸围:由腋下沿胸部的上方最丰满处测量胸围,应为身高的一半。

3.腰围:在正常情况下,量腰的最细部位。腰围较胸围小 20 厘米。

4.髋围:在体前耻骨平行于臀部最大部位。髋围较胸围大 4 厘米。

5.大腿围:在大腿的最上部位,臀折线下。大腿围较腰围小 20 厘米。

6.小腿围:在小腿最丰满处。小腿围较大腿围小 20 厘米。

7.足颈围:在足颈的最细部位。足颈围较小腿围小 20 厘米。

8.上臂围:在肩关节与肘关节之间的中部。上臂围等于大腿围的一半。

9.颈围:在颈的中部最细处。颈围与小腿围相等。

10.肩宽:两肩峰之间的距离。肩宽等于胸围的一半减 4 厘米。

如果您还没有这样凹凸有致的身材,请仔细阅读以下篇幅。我们给您详细讲解近年来风靡全球的运动——瑜伽。

瑜伽的起源与功能

瑜伽源自5000多年前的印度古国,动作缓慢优雅,讲求身心平衡,近年已成为全世界最流行的健康新风潮。借助静坐、冥想、呼吸和肢体伸展的瑜伽,据说不仅有养生保健的功能,还有美容减肥和心理调节的作用。

根据美国《瑜伽期刊》调查估计,全世界现有一亿多人练习瑜伽,多达数亿人在了解瑜伽。仅美国有 1500 万练习瑜伽,1700 万人对瑜伽感兴趣,四分之三的健身房设立瑜伽课程。在东南亚的大、中城市,各种瑜伽教室林立于街角、社区内,甚至还设有瑜伽学院,将瑜伽做为一门科学来研究。在欧洲各国,学习瑜伽的人数达到数百万。在我国,瑜伽也逐渐流行起来,"瑜伽热"已经遍布各个城市。

而且，瑜伽对身心的益处并非空穴来风。目前在科学及临床研究上均已证实瑜伽对身体的健康效应。

瑜伽一词原初的意思是驾驭牛马，在遥远的古代也代表帮助达到最高目地的某些实践或是修炼。在古贤的帕坦珈利所著的《瑜伽经》中，准确的定义为"对心作用的控制"。

古印度文化影响下的人们认为瑜伽代表一种"和谐"，通过呼吸调节，使身心保持在稳定的状态。5000年前的印度修行者在大自然中观察万物，撷取某些动物姿态，再结合人类肢体特性，发展出强调身心平衡、肢体伸展的动作，也就是所谓"瑜伽体位法"。

瑜伽体位法强调身心灵整合的概念，帮助肢体伸展、放松。每个缓和的动作搭配呼吸训练，能按摩不同部位的内脏器官。专注地呼吸很重要，因为控制呼吸，能使筋骨适当伸展，寻求身体的平衡。再辅以冥想静坐，不仅能抚平情绪，心灵也能获得平静。

在梵文中"Prana"意为生命力或宇宙的能力，也表示呼吸或生命。Ayama 的意思则是对生命力或宇宙能量(Prana)的调节和控制。因此调息（Pranayama）的意思就是专心和有规律地控制呼吸或对生命力乃至宇宙能量进行调节和控制。

瑜伽的具体作用有哪些呢？

1、预防慢性病。和肌肉及骨骼一样，人体的脏器也会产生疲倦之感。借助瑜伽各种体位法的姿势，可使腺体分泌平衡，瑜伽可以对卵巢、肾、肠胃以及身体的腹内脏有很好的调节作用。强化神经，排除体内毒素，减缓和消除慢性疾病。

2、消除紧张和疲劳。通过有意识地呼吸，排除体内的废气、虚火，以消除紧张和疲劳。

3、按摩内脏。配合腹式呼吸法练习，可提升内脏功能，促进并调和循环、消化及内分泌系统机能。

4、调整心态。能使人的心情常处于一种喜悦的状态，将对生命向上的活力原原本本地输入体内。

5、减肥。能让不正常的食欲得以恢复，并能增强抵制暴饮暴食的意志力，从根本上改造人的体质，达到减肥的功效。

6、训练注意力。持之以恒地练习瑜伽，能使人把注意力集中在一件事上,使身体按照内心的意志去行事。

7、舒解忧愁和抑郁。提升心理、精神能量,使心灵和平、宁静。当身心放松,专注于伸展肢体时,能释放人体的负面情绪,让人逐渐达到"身松心静"的状态。

8、瑜伽可以改变人的坐姿、站姿,调节体形。

练习瑜伽的注意事项

虽然瑜伽目前被炒得很热,但实际上要想真正练好瑜伽并不是一件容易的事。许多人对瑜伽知之甚少,甚至以为"把脚放在头上"就是瑜伽。更多的人是将瑜伽当作一种流行符号或者以为瑜伽可以包治百病,其实这是错误的。瑜伽同中国的健身气功一样,也要针对自身条件讲究练习方法,并且要循序渐进,才能取得一定的效果。

1、不可盲目练习。瑜伽体位法有上万个动作,包括弯、叠、折、俯、扭、抑、屈、伸、提、压等,有些动作难度过大,不正确的练习不仅不能收到很好的效果,甚至会对身体机能构成一定的损害,扰乱心神。所以一定要在专业教练的指导下练习。

2、慎重选择瑜伽教练。在中国,瑜伽在推广过程中竟呈现出"百家争鸣"、"百花齐放"的繁荣景象。现在瑜伽的教学可谓一家一个样,从流程到动作无不体现着教练个人的发挥,而教练的资质也是良莠不齐,有些根本不是练习瑜伽出身,一些人将学到的操改一下,就自称教练办班教给其他练习者;还有的人原来是瑜伽爱好者,由于跟知名教练上了几个月的课,学了几套操,就称自己是专家,甚至有的人是买两盘影碟自己照葫芦画瓢现学的。所以在练习瑜伽的时候注意不要盲目跟风,一定要慎重选择教练。

3、不可操之过急。不要强迫自己的身体去完成它不能完成的动作,瑜伽是自由伸展,不是强迫伸展。有些动作难度过大,也不是初学者可以模仿的。比如,蝎子式要求一条腿放在地上,把身体的其他部位全都悬空起来,并且要昂起头,舒展四肢;这个姿势在支撑上需要力的平衡。如果没有锻炼和练习的过程,一开始就想达到这个程度,肯定做不到。如果一定这么做,势必会非常困难,就会造成对身体的伤害。

瑜伽讲究动作的平衡性,做一个向前的动作就一定要再做一个向后的动作,同样做过向左的动作,马上要做个向右的动作来取得平衡。当做过强度较大的姿势后要等身体完全放松后,再进行下一个动作。

"认为瑜伽就是姿势",这是人们对于瑜伽的认识上所存在的最大的误区。印度的瑜伽以及中国的太极与东方文化是有着很多契合的内容,属于"心灵之约",更注重的是心理修行。那种身体特别软,能够拧得跟麻花一样的动作,是演示者为了演示而做的,他们往往会选择一些有难度、偏优美的动作。

目前我国出现了很多"瑜伽病","瑜伽病"指的是由于不恰当的练习方法所造成的骨骼、肌肉等损伤。比如韧带拉伤、软骨撕裂、关节炎症、神经痛、跟腱撕裂、腰椎盘突出等等。

瑜伽很多动作都是身体的极致伸展,在练习过程当中一定要非常的缓和,切忌急于求成,一步到位。要依照实际情况循序渐进地进行。

4、练习前后不可大量进食。练习瑜伽前后不要吃大量的食物,尤其是主食,少量饮水。饮食避免油腻、辛辣。练习前至少3小时内不能进食,练习后1小时进食比较科学。

5、练习完瑜伽15分钟之后才可以洗澡。因为在练瑜伽时,不光靠口鼻呼吸,皮肤也参与了锻炼,练习后皮肤的毛孔随之张开,身体感觉会非常敏锐,如果马上洗澡,冷水或热水都会给皮肤造成强烈的刺激,增加心脏的负担。

6、要穿透气性好并且宽松的衣服。不要穿紧身的衣服,因为瑜伽讲求的就是放松,同时请把身上的饰品都尽量取下。要光脚练习,这样可以增强你脚掌的感知力。

7、调整饮食和心态。修习瑜伽最需要的就是静心,如果整日吃一些刺激性比较强又非常荤的食物,本身对修习就有一个不良的影响。人们往往会因为欲望驱使才会对那些刺激性的食物产生兴趣,当心态平静后,对食物的要求也会平静化。

8、选择适合的环境。练习的时间最好选择在清晨或黄昏,不要在烈日下做瑜伽。选择安静、清洁、空气新鲜的地方,尽量离开房间而选择露天的自然地。在室内时,开窗透风,保持空气的流通,这对于调息练习尤为重要。可以在旁边摆放绿色植物或鲜花。不宜在过硬的地板或太软的床上进行练习,练习时应在地上铺一条垫子,垫子要有支撑性,太软或太硬都不好,千万不能让脚下打滑。

9、根据自己的身体状况选择练习姿势。如果身体有不适的地方或是病状,尽量不要练习过难的动作,也可以完全不进行练习。做上体往下倒立的姿势时,高血压、低血压患者、头部受过伤害的人,眩晕病人、心衰的人不要做。女性在经期内,不宜做瑜伽练习。

10、如果发现身体不适,应停止练习,或者上医院检查。澳大利亚新南韦尔斯伤害危险研究中心的一个调查显示:1/4练习瑜伽的人都受过伤。医院收治许多练习瑜伽受伤的患者,大多数都是肌腱韧带受伤。临床发现,练习瑜伽而受伤的患者,以40岁左右的女性居多。这种肌肉群的伸展运动,一定要适可而止,受伤的患者可能因为老师求好心切或是教导方法不正确,让学生拼命拉扯全身的肌肉韧带,一不小心,就很容易出现运动伤害。

练习者一旦感觉身体某部位出现异常疼痛,要马上停止练习,24小时之内可用冰块进行冷敷,阻止脊椎等处的毛细血管出血;24小时之后宜热敷来活血化淤,此时方可以对痛处进行揉搓。如果感觉伤情较严重,不要随意去找按摩师推拿,如果用力不当,可能会造成医源性错位损伤。

健身气功

中国特有的养生保健术

印度有瑜伽,气功则是中国特有的养生保健术。在两千多年前,中国最古老的医学经典著作《黄帝内经·上古天真论》中,对中国传统的养生保健方法作了高度概括,主要包括五个方面:"法于阴阳,和于术数,食饮有节,起居有常,不妄作劳。"其中,"法于阴阳"就是要适应大自然的变化;"和于术数"就是要掌握养生保健、抗衰防老的方法——可以进行拳、操,也可以练习古代的气功运动;"食饮有节"是指饮食要有节制;"起居有常"是指生活上要有规律；"不妄作劳"说的是不要有过度的劳累、过度的脑力劳动和体力劳动。

金元时期医学界四大名医之一、寒凉派代表人刘完素在他的《素问病机气宜保命集》中就有气功养生的记载："吹嘘呼吸，吐故呐新……此皆修真之要也"。金元四大家之一的李东垣也认为："夜半收心静坐少时，此生发周身血气之大要也"，还主张"安于淡泊，少思寡顾。省语以养气，不妄作劳以养形，虚心以维神"。这些都是古代气功养生的观点。

由于健身气功是一种以松、静为核心的自我身心锻炼的方法，无论采用健身气功中哪一种功法，都必须遵守"松"、"静"的核心原则。

所谓"松"，就是要在练功时尽量使全身放松，感觉身体如棉花一样地松散，似白云一样的轻松，才能感觉全身气血运行流畅，肢体自然舒适。

所谓"静"，就是要在练功时尽量做到心态平静，大脑宁静，逐渐排除各种不良杂念和紧张、忧郁的情绪，才能促进大脑得到充分休息，调节中枢神经系统和植物神经系统的功能。

健身气功能够起到既增强五脏六腑和全身各组织的生理功能，又调节人体的心理平衡的作用，是一种生理和心理双重修炼的养生保健术。它不同于其他比较重视生理功能的锻炼而不太强调心理调节的体育运动。

健身气功的养生保健作用

中国健身气功经过几十年实践应用和实验研究，主要有以下四方面养生保健作用：

1、增强大脑功能。健身气功锻炼可减轻或消除大脑皮层各种不良刺激，可调节中枢神经，促进大脑皮层和全身脏器的调养，提高记忆能力和开发智力。

2、调节各系统功能。实践应用证明，健身气功锻炼对防治高血压或低血压、心动过速或心动过缓、高血糖或低血糖、甲状腺机能亢进或甲状腺机能减退等病症都有一定作用，说明健身气功锻炼对人体各系统有双向调节作用。

3、促进血液循环。实验研究证明，长期坚持健身气功锻炼，不仅可以增强心脏的功能，促进大循环、小循环和微循环的血液流动，而且还可以减少异形血管的管裱数量。这说明健身气功对心血管系统有很大影响。实践应用也证明，锻炼健身气功后，四肢温暖，全身微微出汗，酸痛症状明显减轻。对防治冠心病、脑动脉硬化等心脑血管病和其他血液循环障碍的病症都有良好作用。

4、减少能量消耗。实验研究证明，练静功可以不同程度降低能量代谢，可使人体从"耗能"态转化为"储能"态。有人研究后发现，练功后人体血液中 ATP 含量比练功前显著升高，说明练内养功有储能作用。因此经常锻炼健身气功能减少能量消耗，增加能量储存，有利于养生保健，抗衰防老，延年益寿。

五禽戏

健身气功有很多种，各人可以根据自己的身体状况及喜好选择。事实上，古人在生产、生活过程中已经创造了许多种功法。比较有名的有："五禽戏"、"八段锦"、"易筋经"、"六字诀"等。这些都是古代很有名的功法。

其中，五禽戏是中国民间广为流传的、也是流传时间最长的健身方法之一。又称"五禽操"、"五禽气功"、"百步汗戏"等。

1982 年 6 月 28 日，中国卫生部、教育部和当时的国家体委发出通知，把五禽戏等中国传统健身法作为在医学类大学中推广的"保健体育课"的内容之一。2003 年中国国家体育总局把重新编排后的五禽戏等健身法作为"健身气功"的内容向全国推广。

据说五禽戏是由东汉名医华佗创编的一套防病、治病、延年益寿的医疗气功。它是一种"外动内静"、"动中求静"、"动静兼备"、有刚有柔、刚柔并济、练内练外、内外兼练的仿生功法。但也有人认为华佗是五禽戏的整理改编者，在汉代以前已经有许多类似的健身法。最早记载了"五禽戏"名目的是南北朝陶弘景的《养性延命录》。

五禽戏由 5 种动作组成，分别是虎戏、鹿戏、熊戏、猿戏和鸟戏，每种动作都是模仿了相应的动物动作。每种动作都是左右对称地各做一次，并配合气息调理。

熊戏

身体自然站立，两脚平行分开与肩同宽，双臂自然下垂，两眼平视前方。先右腿屈膝，身体微向右转，同时右肩向前下晃动、右臂亦随之下沉，左肩则向外舒展，左臂微屈上提。然后左腿屈膝，其余动作与上左右相反。如此反复晃动，次数不限。

虎戏

脚跟靠拢成立正姿势，两臂自然下垂，两眼平视前方。

(一)左式

1.两腿屈膝下蹲，重心移至右腿，左脚虚步，脚掌点地、靠于右脚内踝处，同时两掌握拳提至腰两侧，拳心向上，眼看左前方。

2.左脚向左前方斜进一步，右脚随之跟进半步，重心坐于右腿，左脚掌虚步点地，同时两拳沿胸部上抬，拳心向后，抬至口前两拳相对翻转变掌向前按出，高与胸齐，掌心向前，两掌虎口相对，眼看左手。

(二)右式

1.左脚向前迈出半步，右脚随之跟至左脚内踝处，重心坐于左腿，右脚掌虚步点地，两腿屈膝，同时两掌变拳撤至腰两侧，拳心向上，眼看右前方。

2.与左式2同，唯左右相反。如此反复左右虎扑，次数不限。

猿戏

脚跟靠拢成立正姿势，两臂自然下垂，两眼平视前方。

(一)左式

1.两腿屈膝，左脚向前轻灵迈出，同时左手沿胸前至口平处向前如取物样探出，将达终点时，手掌撮拢成钩手，手腕自然下垂。

2.右脚向前轻灵迈出，左脚随至右脚内踝处，脚掌虚步点地，同时右手沿胸前至口平处时向前如取物样探出，将达终点时，手掌撮拢成钩手，左手同时收至左肋下。

3.左脚向后退步，右脚随之退至左脚内踝处，脚掌虚步点地，同时左手沿胸前至口平处向前如取物样探出，最终成为钩手，右手同时收回至右肋下。

(二)右式动作与左式相同，唯左右相反。

鹿戏

身体自然直立,两臂自然下垂,两眼平视前方。

(一)左式

1.右腿屈膝,身体后坐,左腿前伸,左膝微屈,左脚虚踏;左手前伸,左臂微屈,左手掌心向右,右手置于左肘内侧,右手掌心向左。

2.两臂在身前同时逆时针方向旋转,左手绕环较右手大些,同时要注意腰胯、尾骶部的逆时针方向旋转,久而久之,过渡到以腰胯、尾骶部的旋转带动两臂的旋转。

(二)右式动作与左式相同,唯方向左右相反,绕环旋转方向亦有顺逆不同。

鸟戏

两脚平行站立,两臂自然下垂,两眼平视前方。

(一)左式

1.左脚向前迈进一步,右脚随之跟进半步,脚尖虚点地,同时两臂慢慢从身前抬起,掌心向上,与肩平时两臂向左右侧方举起,随之深吸气。

2.右脚前进与左脚相并,两臂自侧方下落,掌心向下,同时下蹲,两臂在膝下相交,掌心向上,随之深呼气。

(二)右式同左式,唯左右相反。

五禽戏锻炼要做到:全身放松,意守丹田,呼吸均匀,形神合一。练熊戏时要在沉稳之中寓有轻灵,将其剽悍之性表现出来;练虎戏时要表现出威武勇猛的神态,柔中有刚,刚中有柔;练猿戏时要仿效猿敏捷灵活之性;练鹿戏时要体现其静谧恬然之态;练鸟戏时要表现其展翅凌云之势,方可融形神为一体。常练五禽之戏,可活动腰肢关节,壮腰健肾,疏肝健脾,补益心肺,从而达到祛病延年的目的。

练习健身气功的注意事项

气功的练习不是一件随意的事情,除了应根据自己的身体状况来选择功法外,在练功过程中仍需注意一些问题。

1、正确认识气功,明确练功目的。练习气功只是为了强身健体,绝对成不了什么"武林高手"。

2、初学气功要在有经验的气功师指导下练习。要选择适宜的功法，并且长期坚持下去，不要随便换功法，以免影响练功效果。

3、练功时间要因人而异，不要千篇一律。病人日练三次，每次30分钟左右，可逐渐延长时间；身体健康者，可根据工作情况安排，一般日练1-3次；练功时间和强度要根据体力情况安排，一般掌握练功后要留有余力、留有余兴，以不感觉疲劳为度。

4、要选择空气清新、环境幽静的地点练功。要避免突然的响声，避免面对强光，避免大风、冷风的吹袭，出汗后要防止着凉。在室内练功时空气要流通。

5、要做好练功前的准备。要排除大小便，穿衣要宽松得体，口干渴时可喝少量温开水。

6、在进行"调息"锻炼时，无论采取哪种方法，每练20分钟左右都要转为自然呼吸法。以免呼吸肌过于疲劳、发生麻痹，使人憋气发生危险。因此，切记"自然"的原则。

7、精神过于兴奋，心情不愉快，身体过于疲劳，过饱或有饥饿感时不宜练功。

8、身体虚弱者和某些病人(如高血压、心脏病、肺结核、肝炎、肾脏病、神经衰弱等患者)练功，在一定时间内要禁止性生活。病愈后，也应加以限制。

9、危重病人和精神失常等不适应于气功锻炼的患者，应列入气功锻炼的禁忌。精神状态不稳定、疑虑重重、缺乏主见或认识偏激者，不适宜练着重意念锻炼的功法，可选练其他种类功法。

10、女子月经期练功时间不宜过长，对于运动量较大和负荷较重的一些功法要停练，练静功时，不要意守下窍(如气海、关元、涌泉穴等)，也不要向下体引导过多的意念活动，可意守膻中穴。

11、练功时，要做到"三稳"，即起功稳、行动稳、收功稳。

12、科学安排生活，在坚持气功锻炼的同时，还应注意科学地安排好生活、学习工作、饮食起居等，以收到更好的锻炼效果。

第四章
分级密码——不同人群的养生特点

　　生长发育、新陈代谢、生老病死，所有动物的生命都是这样循环往复，生生不息。从出生到死亡，人体会经历很多种不同的时期，儿童期、青壮年期和老年期等。在这一过程中人体有量的变化，也有质的变化，因而形成了不同的不同的阶段，每一个时期都有其特殊的生理现象，健康密码也随着年龄的增长而不断变化。想始终保持健康的身体，我们就要根据不同时期人体的特性，有针对性地进行保养。用发展的眼光看待人体，看待健康密码。

儿童期

儿童生长发育特点

一个人的儿童期是非常重要的时期，不仅是一个身体发育成型的过程，也是一个思维与人格定位的过程，所以这个时期对于儿童身体和心理的保健十分重要。

人在儿童期生长发育迅速，能量消耗以及营养素的需求增长很快。人体生长发育的速度并不是均匀的，而是呈波浪式的。青春发育期是婴幼儿期外的另一个生长突增的高峰，是儿童向成人过渡的关键时期，体格生长加速，营养的跟进至关重要。人体各部分发育的前后也不同，四肢比躯干、下肢比上肢先发育。

生长发育是一个连续的过程，形成不同的快慢阶段，各个阶段又是相互影响、环环紧扣的，任何一个阶段的发育受到障碍，都会对后一阶段产生不良的影响，因此任何时期都需要有优质均衡的营养做后盾，才能打下坚实的发展基础。

不同年龄阶段的心理和生理特点

儿童时期生理、心理发育很快，处于生长发育的动态变化过程中，不同的月龄和年龄具有不同的生理与心理特征。根据儿童各年龄时期的生理与心理特征及发展规律，进一步将儿童时期分为以下各年龄阶段：

1、新生儿。出生至满28天内为新生儿期。这一时期小儿脱离母体开始独立生活，内外环境发生巨大变化，但其生理调节和适应能力不够成熟，易发生体温不升、体重下降及各种疾病如窒息、感染等麻烦，不仅发病率高，死亡率也高，在发达国家约占婴儿死亡率三分之二，尤以第一周为高。根据这些特点，新生儿期保健特别强调护理如保温、清洁卫生、消毒隔离等,应定期(至少2次)进行访视,坚持母乳喂养,做好疾病的预防和治疗,以降低新生儿的发病率和死亡率。

2、婴儿。28天至满1周岁为婴儿期。此期是生长发育最快的时期,所需的热能和蛋白质比成人相对高,因此提倡母乳喂养和合理的营养指导十分重要。婴儿期抗病能力较弱,易患传染性和感染性疾病,需要有计划地接受预防接种,完成基础免疫程序,并应重视卫生习惯的培养和注意消毒隔离。定期3个月查体一次。

3、幼儿。1—3岁为幼儿期。此期是小儿语言、思维、动作、神经、精神发育较快的时期,要根据其特点有目的、有计划地进行早期教育,培养幼儿良好的卫生习惯。加强断奶后的营养指导,注意小儿口腔卫生,继续做好计划免疫接种和常见病、多发病、传染病的防治工作。定期半年查体一次。

4、学龄前。3—6岁为学龄前期。这时期体格生长较以前缓慢,达到稳步增长,而智力发育更趋完善,求知欲强,能做较复杂的动作,学会照顾自己,语言和思维进一步发展。大脑发育的状况是儿童智力的根本基础,儿童在3岁以前,大脑神经系统的发育非常快,3岁时大脑神经细胞大体上完成分化,之后大脑仍在不断地发育,一定要补充适当的营养以保证儿童大脑发育的正常进行。

应根据这个时期具有高度可塑性的特点,从小培养儿童优良的品质,养成良好的卫生、学习和劳动习惯,为入学做好准备。此期儿童所接受的教育属儿童启蒙教育,是人的一生中最重要的受教育时期,对他们一生中的学习及获得知识的能力、劳动技能的水平都极为重要。因此有条件的家庭都应该把孩子送进幼儿园去接受系统的启蒙教育,并使其由家庭或托儿生活转入集体、伙伴生活。学龄前期小儿与外界环境的接触日益加多,故意外事故较多,应根据这些特点做好预防保健工作,每年查体一次。

5、学龄。6-12岁为学龄期。此期小儿体格仍稳步增长,大脑皮层功能更加发达,对一些事物具有一定的理解能力。儿童进入学龄期的重大变化是把以游戏活动为主的生活方式转变为以学习为主,从家庭或幼儿园进入学校对儿童是一个重大的转折,因此要做好其衔接工作,即要做好儿童适应学习生活的心理准备,否则将会发生对学校环境、学习生活环境适应不良等心理障碍。这个时期发病率较前为低,但要注意预防近视眼和龋齿,矫治慢性病灶,端正坐、立、行姿势,安排有规律的生活、学习和锻炼,保证充足的营养和休息,注意情绪和行为变化,避免思想过度紧张。每2年查体一次。

6、青春。12—18岁为青春期。这一期个体差异较大,可相差2-4岁。此期特点为生长发育在性激素作用下明显加快,体重、身高增长幅度加大,第二性征逐渐明显,生殖器官迅速发育,趋向成熟,女孩子出现月经,男孩子出现遗精。此时由于神经内分泌调节不够稳定,常引起心理、行为、精神方面的不稳定;另一方面由于接触社会增多,遇到不少新问题,受外界影响越来越大。在保健工作上,除了要保证供给足够营养以满足生长发育加速所需,加强体格锻炼和充分注意休息以外,尚应根据其心理、精神上的特点加强教育和引导,使之树立正确的人生观,培养优良的道德品质,保证青少年的身心健康。每2年查体一次。

儿童期身体各系统特点与保健

神经系统:儿童、少年对外界刺激反应性强,适应能力差,抵抗力弱,因而容易受外界不良因素影响。儿童、少年的神经系统也是随着生长发育逐渐完善的。儿童越小,大脑皮质越易兴奋,也越易疲劳。听课时,儿童的主动注意力维持时间较短,并易为外来刺激所分散。年龄越小,探究反射越强,主动抑制差。因此作息时间要考虑到不同年龄的特点而给予合理安排,勿使负担过重。

运动系统:儿童骨组织内含钙较少,骨化过程尚未完成,骨骼弹性强,容易弯曲。因此,必须教育儿童注意正确的姿势和体位,以免造成驼背、脊柱弯曲和胸部畸形等。学校在安排课桌椅时,应根据儿童生长发育的特点,尽可能安排不同高低的课桌椅。骨盆的发育要到20~21岁才完成,少女从高处向硬的地面跌下时,易使未接合的骨盆发生不易察觉的转位。因此,在安排女生跳高时,除设有沙坑外,还应采取其他措施,以保护骨盆免受损伤。儿童的肌肉比成人容易疲劳,尤其是单调动作和长时间使身体保持单一姿势时,更易发生疲劳。因此在组织劳动和安排活动时,应尽可能照顾生理和体质的特点,根据体力强弱安排任务。女生在月经期间,一律不参加较重的体力劳动、运动和下水劳动。在安排劳动时应尽可能多样化,注意工种的选择、劳动休息制度的合理安排,以加强劳动保护等等。

消化系统：儿童的乳齿质软而脆，恒齿釉质比成人薄，很容易损伤或侵蚀成龋齿。所以，饭后要漱口刷牙，晚上睡前刷牙更为重要，6~7岁开始换恒牙，特别要注意预防牙病。最好每年检查牙齿1次，一旦发现坏牙，要及时填补或拔去。儿童的胃液酸度较成人低（约为成人的65%~70%），消化能力较成人差，胃的容量不大，胃壁又薄，容易发生消化不良，故需注意饮食卫生和合理的营养。

呼吸系统：儿童的呼吸道比成人短而狭，组织柔嫩，呼吸道粘膜易受损伤，呼吸道壁的血管和淋巴管较多。肺泡比成人小，脑廓发育与胸廓肌肉较成人差。因此儿童、少年锻炼身体、劳动、户外活动，可以加强呼吸锻炼，使儿童有比较深长的均匀呼吸，以便充分供给身体需要的氧，促使体力的发育。

感觉器官：儿童的皮肤细嫩，表皮易剥脱，易使皮肤感染而发生皮肤病。所以应经常洗澡和勤换内衣，防止皮肤病的发生。儿童的听觉器官要到12岁时才发育完善，应教育儿童不可用尖硬物或手挖耳，并保持耳内清洁，避免脏物积水流入耳内，特别是游泳后，应保持耳内干燥。链霉素类药物应用要特别慎重，以防耳聋。

青壮年期

人生是一个连续渐进的演变过程，很难将青年期和壮年期截然分开，一般把19-44岁这一年龄段统称为成人期。或以人体大多数生理功能盛衰的转折期作为青年与壮年的分界线，即以19-30岁为青年期，31-44岁为壮年期。

青壮年时期的生理特点

青年期骨化逐渐完成，身体各部分逐渐进入生长的稳定期。由于男性和女性体内激素含量不同，其骨骼、肌肉和脂肪三者的质与量以及分布上有差异。同年龄相比，女子长骨较男子细，骨骼重量亦轻，肌肉不及男子发达，但其体脂含量（按本身体重计）却超过男性（男女体脂含量分别为 15%–18% 和 20%–25%）。因而男青年多肌肉坚实，女青年则显得苗条丰腴。

青年人体内肝、脑、脾等脏器到 20 岁才达到最大重量，各系统、器官的机能也逐渐发育成熟和健全，呼吸功能的增强，心肌纤维增厚而富有弹性，血管壁的调节力和厚度均有所增强，体力和耐力都处于高峰。智力发育迅速，大脑内部结构和功能不断完善，大脑皮层的兴奋与抑制已具有较好的平衡。第二信号系统迅速增强，思维敏捷，求知欲、理解力和记忆力强，最容易接受新事物，是一生中创造性劳动出成果的高峰时期。由于从事体力和脑力劳动，新陈代谢旺盛，故需要及时补充能量和营养物质补偿消耗，并有一定的生理储备。

壮年人身体器官的形态结构都已发育成熟，机能日臻完善，并处于相对稳定阶段，对内外环境具有较强的适应性和应变能力，而且脑力活动能力继续上升，智能维持在较高水平，可发挥其创造性思维的优势为社会多做贡献。不过，人到壮年，一些生理功能盛衰的转折期已悄然来临。

青壮年时期的营养与保健

20~39 岁的年龄层正值青壮年，这个年龄正是打拼事业，肩负全家人经济与精神支柱，压力最沉重的年纪，尤其正值青壮年的上班族及粉领族，总是忙于工作，最常面临疲劳、紧张及情绪低落等问题，也常见消化系统的疾病及失眠头痛。除了营养素摄取不均，高压力的生活模式也会促使体内多种荷尔蒙分泌，造成心跳加速，血压上升。另一方面，压力影响正常的进食，伤害消化机能，最后也影响营养的吸收及免疫机能，更甚至会成为引发忧郁症的潜在因子。因此适时的减压，保持心灵健康，是青壮年时期在工作及生活之余所需注意的。

1、身体成分的改变，脂肪组织代偿性增多，代偿功能已呈下降趋势。基础代谢率开始下降，如体力活动少，运动量不足，饮食不加以节制，可能营养过剩而导致肥胖,成为许多疾病的诱因。

人到三十,过剩热量逐渐积存于体内,转化为脂肪,从而出现肥胖势头。尤其是女性,常因孕期和产后吸收营养过多,又懒于活动,更易发福。

减肥一是要注意保持体重的相对稳定,如果减肥措施不当导致体重时轻时重,不仅加速皮肤老化,而且增加罹患心脏病的危险。死于心脏病的人增多,已成为减肥者的最大威胁。明智之举是当体重减轻到一定程度后设法保持稳定;二是要注意减肥的渐进性,不要期望一顿饿成瘦子,因为快速减肥会造成某些营养成分的缺乏而导致营养不良,成为感染、中风甚至癌症等疾患的祸根;三是节食与体育运动相结合。体育活动不仅有助于巩固减肥效果,而且可以补救节食减肥的缺陷。

青壮年的平衡膳食主要包括五大类食物:

(1)谷类、薯类。是膳食中热量的主要来源,主要提供碳水化合物、蛋白质、维生素 B 族。

(2)动物性食物。主要提供优质蛋白质、脂肪、矿物质、微量元素、维生素 A 和维生素 B 族。

(3)奶类、豆类及其制品。主要提供优质蛋白、脂肪、膳食纤维、矿物质和维生素 B 族。

(4)蔬菜、水果和蕈藻类。主要提供善纤维、矿物质、维生素 C、胡萝卜素、维生素 B_2。

(5)纯热量食物。包括动植物油脂、食糖和酒类。

上述各类食物都应适量按需摄取,且应在同一类食物中选择不同品种合理搭配,使其所含营养素种类齐全、数量充足、比例恰当,所供给的热量和营养物质与青壮年的生理需求相适应,并保持平衡。

2、在消化功能方面,消化酶的分泌量有所减少,胃肠蠕动减慢,吸收能力下降。如饮食不规律,饥饱不均,迟早不定,极易诱发消化系统疾病。餐次的安排应与消化器官活动规律相协调,并与青壮年的生活和劳动特点相适应,以维持其血糖浓度处于正常水平,保持旺盛精力。全日热量合理分配于三餐(早、午、晚三餐分别占总热量的 25%-30%、35%-40%、30%-35%),饮食有规律,饥饱适中,适量适时。力戒偏食、择食、暴饮暴食等不良饮食习惯。不饮酒(可饮少量果酒或啤酒),更不宜酗酒。甜食、甜饮料不过量。

3、心血管系统也有增龄性变化，如自律性降低，血液输出量有所减少，血管壁弹性下降，机体对血压的反射性调节功能减退，易引起血压波动，可能与其他不良因素共同作用而诱发高血压。

应减少食用过量高脂肪、高热量食物，以避免囤积胆固醇及脂肪，降低罹患高脂血症的几率，并可多作运动，摄取能抗氧化的维生素 C、E 及多酚类。

应控制饮酒及吸烟量，多摄取维生素 B 族以预防因过度饮酒所引起的脂肪肝，并注意适时的通过运动或休息来减轻压力，以避免自律神经、高血压及肠胃方面的疾病产生。

4、在骨骼方面，人体在 20 岁以前，钙在骨内的沉积速度成直线上升状态，35 岁达到高峰。如青年期钙质储备不足，则有可能因骨内无机质增加，弹性和韧性减退，过早出现骨质疏松。

一般说来，男女自 20 岁起骨质即开始极缓慢地减少，30 岁以后减速逐渐加快，其中女子尤为突出，一生中可减少 42%，男子只减少 10%。

女子的骨髓尤其是四肢长骨含钙量本来就少，又有月经、怀孕、喂奶等特殊消耗，绝经后性激素比例失调更易加重骨钙丢失。防范的措施除了坚持吃淡食、少饮咖啡、戒酒、多饮牛奶和吃豆制品外，还应多进行体育锻炼。若能从 30 岁起就多做运动并坚持下去，即可获得高骨钙量，且可保持到老年，受益终身。

5、智力方面。医学研究表明，无论男女从 30 岁起，脑细胞皆以每天数万到 10 万的速度死亡。脑的重量和体积因而逐渐下降。男子脑衰的速度和程度更胜于女子，奥妙在于处于智力中心地位的脑表面细胞男子比女子丧失得多，故男子更要注意预防早衰。

增加健脑食物在一日三餐中的比重当为首要措施。日本学者推荐牛奶、沙丁鱼、菠菜、胡萝卜、橘子等 5 种健脑食品。此外，豆类、芝麻、核桃肉、龙眼、红枣、蜂蜜和蜂王浆、各种动物脑髓，亦有健脑益智之功效。其次，须节制夜生活，保证睡眠，劳逸结合。再次，为大脑提供更多的"能源"，也是防止脑衰的有效举措。

老年期

痴呆是人进入老年期后，身体机能损耗逐渐由量变到质变的结果，俗称"老糊涂"。如果能预测自己将来会不会痴呆，那么，就可以有针对性地预防。日本专家吉泽勋先生在多年临床体验和各种各样的调查结果的基础上，制定了一种简易的"痴呆预知自测法"，可供参考。内容如下：

健康自测：老年痴呆

1.几乎整天和衣躺着看电视。 是 否

2.无论什么兴趣爱好都没有。 是 否

3.没有一个可以亲密交谈的朋友。 是 否

4.平时讨厌外出，常闷在家里。 是 否

5.日常生活中没有属于自己的工作或在家庭中不起什么作用。是 否

6.不关心世事，不读书也不看报。 是 否

7.觉得活着也没什么意义。 是 否

8.身体懒得动，无精打采。 是 否

9.讨厌说和听玩笑话。 是 否

10.有高血压或低血压。 是 否

11.平时净发牢骚或埋怨。 是 否

12.将"想死"做为口头禅。 是 否

13.被人说成神经过敏，过分认真。 是 否

14.这个那个过分忧虑。 是 否

15.经常焦躁易发脾气。 是 否

16.对任何事情都不会激动，无动于衷。 是 否

17.什么事若非亲自动手,便不放心。是 否

18.不听别人的意见,固执己见。 是 否

19.沉默寡言。 是 否

20.配偶去世已有 5 年以上。 是 否

21.不轻易对人说"谢谢"。 是 否

22.老讲自己过去值得自豪的事。 是 否

23.对新的事物缺乏兴趣。 是 否

24.啥事都要以自己为中心,否则即心中不平。 是 否

25.对任何事都缺乏忍耐。 是 否

评析:

选"是"得 1 分,选"否"得 0 分。

如果您得 15－25 分的话,那么您将来患痴呆症的可能性就较高;

如果您得 8－14 分的话,您也应及时引起重视;

如仅 1－7 种现象可令您对号入座,那么,暂且放心,但也不能麻痹大意。

痴呆是老年病的主要病症之一。防治老年病的措施是多方面的,主要是开展适合老年人的体育锻炼,注意合理膳食、心情愉悦等,做到对老年病的早期发现、早期诊断和早期治疗。

人到了 40 岁以后,机体形态和机能逐渐出现衰老现象,通常认为45~65 岁为初老期,65 岁以上为老年期。人到老年,在身体形态和机能方面均发生了一系列变化,主要表现在:一、机体组成成分中代谢不活跃的部分比重增加,比如 65 岁与 20 岁相比,体脂多出部分可达体重的 10%~20%;而细胞内水分却随年龄增长呈减少趋势,造成细胞内液量减少,并导致细胞数量减少,出现脏器萎缩。二、器官机能减退,尤其是消化吸收、代谢功能、排泄功能及循环功能减退,如不适当加以调整,将会进一步促进衰老过程的发展。

人体老年期的生理变化

1、消化系统

(1)老年人因牙周病、龋齿、牙齿的萎缩性变化,而出现牙齿脱落或明显的磨损,以致影响对食物的咀嚼和消化。

(2)舌乳头上的味蕾数目减少,使味觉和嗅觉降低,以致影响食欲。每个舌乳头含味蕾平均数,儿童为248个,75岁以上老人减少至30~40个,其中大部分人出现味觉、嗅觉异常。

(3)粘膜萎缩、运动功能减退。年逾60岁者,其中50%可发生胃粘膜萎缩性变化,胃粘膜变薄、肌纤维萎缩,胃排空时间延长,消化道运动能力降低,尤其是肠蠕动减弱易导致消化不良及便秘。

(4)消化腺体萎缩,消化液分泌量减少,消化能力下降。口腔腺体萎缩使唾液分泌减少,唾液稀薄、淀粉酶含量降低;胃液量和胃酸度下降,胃蛋白酶不足,不仅影响食物消化,也是老年人缺铁性贫血的原因之一;胰蛋白酶、脂肪酶、淀粉酶分泌减少、活性下降,对食物消化能力明显减退。

(5)胰岛素分泌减少,对葡萄糖的耐量减退。肝细胞数目减少、纤维组织增多,故解毒能力和合成蛋白的能力下降,致使血浆白蛋白减少,而球蛋白相对增加,进而影响血浆胶体渗透压,导致组织液的生成及回流障碍,易出现浮肿。

2、神经系统

(1)神经细胞数量逐渐减少,脑重减轻。据估计脑细胞数自30岁以后呈减少趋势,60岁以上减少尤其显著,到75岁以上时可降至年轻时的60%左右。

(2)脑血管硬化,脑血流阻力加大,氧及营养素的利用率下降,致使脑功能逐渐衰退并出现某些神经系统症状,如记忆力减退,健忘,失眠,甚至产生情绪变化及某些精神症状。

3、循环系统

(1)心脏生理性老化主要表现在心肌萎缩,发生纤维样变化,使心肌硬化及心内膜硬化,导致心脏泵效率下降,使每分钟有效循环血量减少。

心脏冠状动脉的生理性和病理性硬化，使心肌本身血流减少，耗氧量下降，对心功能产生进一步影响，甚至出现心绞痛等心肌供血不足的临床症状。

（2）血管也会随着年龄增长发生一系列变化。50岁以后血管壁生理性硬化渐趋明显，管壁弹性减退，而且许多老年人伴有血管壁脂质沉积，使血管壁弹性更趋下降、脆性增加。结果使老年人血管对血压的调节作用下降，血管外周阻力增大，血压常常升高；脏器组织中毛细血管的有效数量减少及阻力增大，使组织血流量减少，易发生组织器官的营养障碍；血管脆性增加，血流速度减慢，使老年人发生心血管意外的机会明显增加，如脑溢血、脑血栓等的发病率明显高于年轻人。

4、呼吸功能

（1）老年人由于呼吸肌及胸廓骨骼、韧带萎缩，肺泡弹性下降，气管及支气管弹性下降，常易发生肺泡经常性扩大而出现肺气肿，使肺活量及肺通气量明显下降，肺泡数量减少，有效气体交换面积减少，静脉血在肺部氧气更新和二氧化碳排出效率下降。

（2）血流速度减慢，毛细血管数量减少，组织细胞功能减退及膜通透性的改变，使细胞呼吸作用下降，对氧的利用率下降。

5、其他方面

（1）皮肤及毛发的变化。因皮下血管发生营养不良性改变，毛发髓质和角质退化可发生毛发变细及脱发；黑色素合成障碍可出现毛发及胡须变白；皮肤弹性减退，皮下脂肪量减少，细胞内水分减少，可导致皮肤松弛并出现皱纹。

（2）骨骼的变化。随着年龄增加，骨骼中无机盐含量增加，而钙含量减少；骨骼的弹性和韧性减低，脆性增加。故老年人易出现骨质疏松症，极易发生骨折。

（3）泌尿系统的变化。肾脏萎缩变小，肾血流量减少，肾小球滤过率及肾小管重吸收能力下降，导致肾功能减退。加上膀胱逼尿肌萎缩，括约肌松弛，老年人常有多尿现象。

（4）生殖系统的变化。性激素的分泌自40岁以后逐渐降低，性功能减退。老年男性前列腺多有增生性改变,因前列腺肥大可致排尿发生困难。女性 45~55 岁可出现绝经,卵巢停止排卵。

(5)内分泌机能下降,机体代谢活动减弱,生物转化过程减慢,解毒能力下降。机体免疫功能减退,易患感染性疾病。

(6)五官变化:晶状体弹力下降,睫状肌调节能力减退,多出现老花眼,近距离视物模糊。同时听力下降,嗅觉、味觉功能减退。

(7)代谢上往往分解代谢大于合成代谢,若不注意营养及合理安排膳食,易发生代谢负平衡。

(8)性格及精神改变:老年人行动举止逐渐缓慢,反应迟缓,适应能力较差,言语重复,性情改变,或烦躁而易怒,或孤僻而寡言。如遇丧偶或家庭不和,更会对情绪产生不良影响。故对老年人应给予周到的生活照顾和精神安慰,使之安度晚年,健康长寿。

老年期的营养与保健

老年人与青壮年的机体状态有着明显的不同,所以,老年人在饮食养生及运功方面具有特殊的要求。

1、总热量和脂肪摄入要低。老年人的基础代谢比青壮年减少 10%~15%,而且老年人的活动或劳动均明显少于成年人,我国的营养学家建议,老年人每日的能量供给应在 2000 千卡以内。老年人的热量供给不应过多,因为热量过多会在体内转化为脂肪而引起肥胖,这是诱发糖尿病、高血压病和冠心病的原因之一。

老年人的饮食应清淡,避免摄食高脂肪、高胆固醇食品,特别是不要食用含饱和脂肪酸较多的动物性脂肪和含胆固醇较多的动物内脏。但也必须提出,老年人也应取得适量的脂肪摄入量,这样有利于脂溶性维生素的吸收,对健康有益。

2、蛋白质摄入要充足。正常的老年人,每日摄入的蛋白质总量不应少于 60 克。除主食(粮食类)提供的蛋白质外,适量地食用禽蛋瘦肉是有利的。食用大豆也是老年人很好的蛋白质来源,大豆制品对高胆固醇有一定的调节作用,所以,老年人应多吃一些大豆或豆类制品。

3、维生素摄入要充分全面。维生素包括脂溶性维生素和水溶性维生素两大类。虽然人体每日需要的维生素量很少,但其在生理功能上却有着重要的作用。由于维生素存在于不同的食物中,所以食品多样化是保证充足维生素的必要条件。

4、矿物质摄入要适量。老年人对矿物质的需求量有所不同,在摄入时要注意。如老年人不要过多地摄入钠,摄入钠过量会引起高血压和水肿,所以老年人不宜吃太咸的食物。老年人需要增加钙的摄入以减少骨质中钙的丢失,牛奶中含有丰富的钙,是饮食钙的最好来源。

5、膳食纤维的摄入要合适。膳食纤维能够促进肠道蠕动和排便,有预防肠癌和治疗便秘作用。膳食纤维主要存在于蔬菜、水果、糠麸及谷类食品中,老年人多吃些含膳食纤维多的食物对健康有益。

6、老年人在健身运动前做一次全面的身体检查,以了解自己的健康状况及各脏器的功能水平,做到心中有数,为合理选择运动项目和适宜的运动量提供依据。每次健身运动都要注意做好充分的准备活动和及时的整理活动。通过充分的准备活动,调动神经兴奋性,降低肌肉粘滞性,克服内脏惰性,增加协调性,防止骨折和肌肉拉伤等运动性损伤现象。通过及时充分的整理活动,加速机体疲劳的缓解。

7、宜选择全身性的体育活动,避免某一肢体或器官负荷过重,尽量避免过分用力的动作,尤其动脉硬化的老人,应避免造成血压骤然升高的动作,如:头朝下,突然前倾,低头弯腰动作过猛等。要劳逸结合,运动和休息要安排适当,根据身体反应、外界环境和条件的变化不断进行调整。

8、要遵守正常的生活制度,保证充足的睡眠,注意锻炼期间的饮食和营养,饮食以易消化、含充足的蛋白质和维生素、低脂肪为主。要控制热量、糖和盐的摄入量,禁烟、酒。

9、健康愉快的心态。由于老年人消化系统及心血管方面的衰弱,所以切忌过于激动或者发怒,保持一种健康愉快的心态,是健身养生的根本。

第五章
核心密码——心理健康

　　关于心理健康，前面我们已经简单论述过一些。有人说无病就是健康，也有人说身体强壮就是健康。其实，健康的概念远非人们理解的这么简单。世界卫生组织（WHO）在著名的卫生大宪章中是这样为健康定义的："所谓健康，不仅仅在身体上没有疾病和虚弱的现象，而且是在躯体、精神、社会适应各方面的完好状态。"

当今社会的第一大健康问题

我国的社会转型进入了一个重要阶段,主要表现在,经济增长速度加快,社会分化程度加大,利益格局差距加深。急剧的社会变迁对于社会成员的心理适应性提出了严重挑战,在适应性较弱者身上则出现了程度不同的"心理震荡"现象。

"心理震荡"是指急剧的社会变迁对于人们心理系统的适应性和承受力产生的冲击超出了其所能积极应对和有效处理的阈限,从而表现出各种带有消极特征的心理感受和行为症状。简言之,"心理震荡"也就是一种较严重的心理不适应状态,是"心理问题"的极端表现形式。

导致"心理震荡"现象出现和增多的原因是多方面的。社会变迁的速度快、程度深、力度强,使世界对于人们而言呈现出很大的陌生性,这些都是宏观层面的原因,也是客观方面的原因。

社会变迁这一最重要的宏观背景,具体、直接地表现为经济体制、社会结构、文化模式、价值观念等各个领域的深刻变化。经济快速发展,竞争日趋激烈,生活节奏紧张,使生活在这样一个飞速旋转车轮上的人们头晕目眩,心理压力的增大,已是不争的事实。各种精神疾患和心理行为问题正日益严重地危害着人们的身心健康。

近年的一些调查研究结果,从不同角度说明了当前我国出现和潜在着的心理问题的基本状况。这里仅列举几个有关调查数据:

一项调查表明,在我国,精神疾病发生的数量已超过了心血管疾病,跃居疾病发生率的首位。2005 年,中国青少年研究中心公布的一份调查报告称,在我国约 3.4 亿的 18 岁以下青少年中,大约有 3000 万人受到各种情绪障碍和行为问题的困扰,突出表现为人际关系、情绪稳定性和学习适应性方面的问题。中小学生中有心理障碍者为 21.6%~32%;大学生中有心理障碍者为 16%～25.4%，而且呈现上升趋势。

有关研究显示，目前在我国每年有 25 万人自杀，每年约有 150 万人因家人或亲友自杀而产生长期、严重的心理创伤，从而成为一种严重的社会负担。

在我国，自杀已成为位列第五的死亡原因。在 15 岁至 34 岁的人群中，自杀更是成为首位死因。全国的一项调查显示，目前有心理障碍者占总人口的 10% 左右，而城市 25% 的人存在显性或隐性心理危机。社会地位和文化水平越高的人，心理压力越大。

尤其让人忧虑的是，在心理咨询门诊中，青少年及儿童病人超过了病人总量的 1/3。病人年龄已突破传统认为的"12 岁危险年龄"，最小的只有 8 岁。据世界卫生组织估计，2020 年以前全球儿童精神障碍会增长 50%，成为最主要的五个致病、致死和致残原因。

目前在国内，有相当多的人仍把心理咨询看做是对精神不正常的医治，这导致许多有心理问题的人没有得到及时的帮助和正确引导，最终造成遗憾。

造成这种状况的原因，一方面是由于我国教育制度中青少年心理教育方面的缺失，另一方面也是我国社会中还没有建立起正规有效的心理咨询及治疗体系，相关从业人员无论在水平还是数量上都不够。

早在 20 世纪 50-60 年代，美国就在学校、社区设立了心理咨询、心理辅导或心理治疗门诊。到了 80 年代后，从事心理辅导的心理学工作者开始将注意力转移到全体学生身上，特别是注意学生的心理健康教育。有关中学生的心理技能训练课程相继推出，心理健康教育活动也相继出现。而日本则在 20 世纪 60 年代后开始重视中小学生心理健康教育。日本学校的心理健康教育主要围绕着提高学生适应现代社会的心理素质而展开，其目的是使学生在获得有关健康、安全知识的同时，提高思考力、判断力，培养学生保持和增强心理健康的实践能力，并将学习意愿、自学能力、独立思考力、判断力和行动能力作为健康教育的基础学习。

1997 年的统计结果显示：我国每百万人口中心理学工作者的数量仅为 2.4 名，而美国在 1991 年时，每百万人口就已拥有 550 名心理学工作者。

近年我国开始重视这个问题，已经有一批人在专业从事心理咨询及治疗工作，但是仍不能满足目前日益增长的社会心理问题的需要。事实上多数心理问题也不必找医生，是通过自我调节或简单的辅导就可以解决的。

心理健康的定义

心理健康是指一种持续的积极发展的心理状况，在这种状况下主体能做出良好的适应，能充分发挥身心潜能，而不仅是没有心理疾病。

从这一概念可以看出，心理健康有两层含义：一是没有心理疾病，这是心理健康最起码的含义，如同身体没有疾病是身体健康的最基本条件一样；二是具有一种积极发展的心理状态，这是心理健康最本质的含义，它意味着要消除一切不健康的心理倾向，使一个人的心理处于最佳状态。

心理健康有无具体的标准呢？人类迄今还难以像检查躯体健康那样检查心理健康。躯体健康与否可以通过体温、脉搏、血压、心电图、肝功能等一系列科学客观的检查，有完整、清晰、科学的客观数据做标准、结果一目了然。

而心理学是一门古老而年轻的发展中的学科，许多心理现象和规律尚处于未知或知之不多阶段，同时又受不同的社会文化背景、民族特点、经济水平、意识形态、学术思想导致的不同认知体系、价值观念的影响，致使迄今尚无被世界各国、各民族公认的科学的标准体系。但是半个多世纪以来，世界各国的心理学家从不同角度对此进行了积极的、有益的探索，提出了许多观点，心理健康的几个基本特征已被公认：

1、良好的社会适应性

正确认识和处理个人和环境的关系，能主动适应和改变现状。个体能够根据客观环境的需要和变化，通过不断调整自己的心理行为和身心功能，达到与客观环境保持协调的和睦状态。它主要表现在以下三个方面：

（1）适应各种自然环境的能力。

（2）适应人际关系的能力。能够用真诚、信任、宽容和理解的态度与人相处。

（3）适应不同情境的能力。情境一般是指个人行为所发生的现实环境与氛围，包括社会历史进程、国际形势，以及个体心理行为活动时所处的场所、氛围，接触对象的态度、情绪及期待等，如考核、演讲场合等。

2、人格健全

人格是指一个人在社会生活的适应过程中对自己、对他人、对事物在其身心行为上所显示出的独特个性。健全的人格是指构成人格的诸要素，如气质、能力、性格、理想、信念、人生观等各方面能平衡、健全的发展。能保持气质、性格、能力和理想、信念、人生观等各方面平衡发展，所思所言所作能协调一致。能够全面正确地了解自己与他人的关系，能够自我评价，自信乐观地确立自己的生活目标，并努力向目标靠近。

3、情绪和情感稳定，具有良好的心态

经常保持开朗、乐观、愉快、满足的心境，适度表达和控制自己的情绪，要自尊自重。

过度的情绪反应，如狂喜、暴怒、悲痛欲绝、激动不已，以及持久的消极情绪，如悲、忧、恐、惊、怒等，可使人的整个心理活动失去平衡，不仅左右人的认识和行为，而且也会造成生理机能的紊乱，导致各种躯体疾病。而愉快、喜悦、乐观、通达、恬静、满足、幽默等良性情绪，有益于心身健康和调动心理潜能，有利于进一步发挥人的社会功能。

一位心理健康者能保持愉快、开朗、乐观的心境，对生活和未来充满希望。虽然也有悲、忧、哀、愁等消极情绪体验，但能主动调节；同时能适度表达和控制情绪，做到喜不狂、忧不绝、胜不骄、败不馁。

4、有健全的意志和协调的行为

要有较强的心理能力，在挫折、困难、逆境面前不气馁，百折不挠。

意志是人自觉地确定目标，并支配其行动，努力实现预定目的的心理过程。一个人意志品质的衡量包括自觉性、果断性、自制、自控性、坚韧性等方面。

5、心理年龄

每个人都有三个年龄层次，即实际年龄、心理年龄、生理年龄。

实际年龄是指人们的自然年龄。心理年龄是指人的整体心理特征所表露的年龄特征，与实际年龄并不完全一致。生理年龄是指生理发育成长的年龄特点，与实际年龄亦不一定完全一致，如营养不良的人生理发育延迟，也就是生理年龄小于实际年龄。

心理问题的成因

在分析现代常见心理问题的成因时，首先应当明确几点。

（一）所谓的心理健康标准终究只是一个人为确定的标准。简单来说，就是一种主观认定的"标准"状态。而这种标准本身也具有很强的不确定性，如心理年龄，究竟什么样的年龄应当具有什么样的心理，是一个比较模糊的概念。而且若是完全符合心理健康标准，我们可以在意义上称其为"心理健康"的人，但这种人实际上并不存在。若是以此标准来硬性衡量社会中的每一个人，往往会得出每个人都有心理问题的结论。所以所谓的标准只是提供了相对的、可比较的概念，给我们指明了提高心理健康水平可操作、可努力的方向，不可照搬教条。

（二）人的心理活动不但难以标准化测量，也是时刻变化着的。有些看起来心理健康的人，在受到外界某种因素刺激时，也会产生某些心理疾病。有心理问题的人，也可以通过自我调节或辅导恢复健康。

心理不健康与有不健康的心理和行为表现不能等同起来。一个心理健康者偶尔也会出现一些不健康的心理和行为，例如有时自卑，不自信，嫉妒，但是能够较快地调整和恢复到健康状态上来。心理不健康则是指一种较持久的不良状态。因此，不能仅从一时一事而简单地给自己或他人下一个心理不健康或有心理疾病的结论。

（三）每个人心理都有问题。这句话有两个含义，其一是说明由于不确定因素影响，每个人都难免存在一些心理问题或者在某一段时间内存在心理问题，只是严重与否，是否会影响自己和他人的区别而已。其二是不必视心理问题为洪水猛兽，看到一些心理学说或者拿某些心理标准来衡量自己后，觉得自己心理有问题，造成心理压力，本来或许只是一些很正常的心理波动，最后反而会真的造成心理问题了。

（四）心理健康与不健康没有明显的界限。人类基本心理状态是从最健康、健康、较健康、心理缺陷、较轻的心理疾病到严重的心理疾病，这样一种逐渐过渡的连续分布。心理缺陷者是向两极发展的、不稳定的、特殊的心理不健康的人群。

从现代心理卫生科学的观点来看，人的基本心理状态不外乎三种：心理健康、心理问题、心理疾病。至于心理疾病，如精神分裂症、情感性心理障碍、身心疾病、人格障碍与性变态等，不是简单的自我调节就能康复的，对他人也有一定危害，一定需要借助医生或专业部门的治疗才有可能康复。

我国精神疾病分类和诊断标准（1989年）已明确指出，心理疾病与精神疾病是同义词。它是一组由不同原因所致的大脑功能紊乱性疾病。凡一个人的表现符合心理疾病诊断标准（必须由心理医生或精神病科医生诊断），就可以认为其患有心理疾病。这也就不在我们所讨论的范围内了。

这里我们主要针对一些社会上常见的心理问题，分析其成因，以期读者能够正确认识和对待。

1、生物化学因素

很多人认为心理问题就是思想意识上出现的问题，是心理原因，与生理无关。其实这种看法是错误的。例如抑郁症，人们认为，如果5-羟色胺和去甲肾上腺素这两种神经递质之间不平衡，就可以导致抑郁症或焦虑症。5-羟色胺和去甲肾上腺素减少常常导致情绪低落、动力下降以及食欲和性欲改变。

2、遗传因素

与许多其他疾病一样，很多精神问题或疾病往往在家族中集中出现。若父母中有一人患抑郁症，则孩子患该病的机会增加10%~13%；在完全相同的孪生子中，这个数值还要大。如果孪生子中有一人患抑郁症，那么另一个人在一生中患抑郁症的可能性是70%。当然并不是说有家族中精神类遗传病的人就一定会得这种病。

3、事件因素

一些研究提示，不良生活事件，如离婚、重病或屡遭不幸，可导致各种心理问题。日常压力对我们的身体也有看不见的不良影响，事实上可以促成更大范围的疾病，包括心脏病、感冒和以及各种心理问题等。例如投资失败时，突然到来的强烈的挫败感、情绪的剧烈波动、巨额资金的流失，极可能摧垮一个人的心理防线，有的人甚至因此而轻生。

4、环境因素

如一些压力或者长期处于一种不良的环境中，也会给人造成各种心理问题。如考试焦虑在青少年学习类心理问题中占突出地位。下岗职工和高校的贫困生，在心理与生活压力的双重作用下，极易导致心理疾患。或者长期处于一种孤独和得不到关爱的环境中时，一些孩子或老人，乃至成人，都会出现各种心理问题。一些家长对独生子女过于溺爱，使孩子养成任性、自私等不良习性，常常表现为性格孤僻、耐挫力差、社交恐惧甚至有暴力倾向。

5、身体其他疾病因素

一些病症会引起人们内分泌紊乱，相对的也会影响人们的精神。如中风、心脏病发作、癌症、慢性疼痛、糖尿病、激素紊乱和晚期疾病，往往可以导致抑郁症。而且一些慢性病无法立时痊愈或者得了一些不愿意让别人知晓的病，病人长期处于一种焦躁、压抑的心情状态下，就容易引起心理问题。如果患有躯体疾病，而且有淡漠症状或者无法解决自己的基本生理需要，应该与医生联系。

6、人格因素

有些人天生悲观、自信心低、有不良的思维模式、过分烦恼或者感觉几乎无法控制生活事件,这样的人较容易发生各种心理问题。

7、教育因素

有些人在心理成形时期,尤其是青少年处于生长发育的高峰时期,身心变化急剧,内心的冲突和矛盾迭出,随着生理上发生着巨大的变化的同时,心理上出现一些从未有过的新体验、新问题。如果不能及时得到良好的教育和引导,造成一定的心理负担,长期发展,就容易形成心理问题甚至心理疾病。

8、长期不正常的心理波动

一些心理波动的出现,例如幻想、嫉妒等,对于一个人来讲是不可避免的,也是正常的。重要的是要能及时的从这种情绪中走出来,而不要长期沉溺在这种情绪中。上网聊天、游戏、网恋,极可能使上网者因长期处于虚拟状态而影响其正常的认知、情感和心理定位,严重者甚至会发生人格分裂。追求上,有些人具有急功近利的倾向,往往经不起失败的打击;也有些人因急于求成而拼命工作,不断自我加压,结果常常因心有余而力不足导致失败,并诱发抑郁症、自闭症等心理障碍。

9、其他因素

一些药物对人的精神有一定影响,会出现一些服药反应,也会造成各种心理上的问题。所以在用药前一定要向医生进行咨询。

当然,心理问题和疾病的种类很多,形成的原因也很复杂,难以全概。有时候不是一两种因素而是多种因素的作用下造成人们的心理问题。但总得来讲,了解了心理问题的成因,我们才能根据成因进行适当的调整或治疗,或者进行有效的预防。

常见的心理问题

一、抑郁症

调查表明,约 15% 的抑郁症患者死于自杀。美国每年因抑郁症造成的经济损失达到 437 亿美元。世界卫生组织、世界银行和哈佛大学的一项联合研究表明,抑郁症已经成为中国疾病负担的第二大病病。

那么,你是否也患有这个往往被人忽视的疾病呢?

健康自测:抑郁症

请根据您最近一个月的实际情况进行选择。其主要评定依据为项目所定义的症状出现的频度,分 4 级:没有或很少时间,少部分时间,相当多时间,绝大部分或全部时间。正向评分题,依次评分为 1、2、3、4 分。反向评分题(文中有 * 号者),则评分 4、3、2、1 分。

1.我觉得闷闷不乐,情绪低沉。

2.我觉得一天中早晨最好。 ★

3.我一阵阵哭出来或觉得想哭。

4.我晚上睡眠不好。

5.我吃得跟平常一样多。 ★

6.我与异性密切接触时和以往一样感到愉快。 ★

7.我发觉我的体重在下降。

8.我有便秘的苦恼。

9.我心跳比平常快。

10.我无缘无故地感到疲乏。

11.我的头脑跟平常一样清楚。 ★

12.我觉得经常做的事情并没有困难。 ★

13.我觉得不安而平静不下来。

14.我对将来抱有希望。 ★

15.我比平常容易生气激动。

16.觉得做出决定是容易的。 ★

17.我觉得自己是个有用的人,有人需要我。 ★

18.我的生活过得很有意思。 ★

19.我认为如果我死了,别人会生活得好些。

20.平常感兴趣的事我仍然照样感兴趣。 ★

评析:

待自评结束后,把20个项目中的各项分数相加,即得到总粗分。用粗分乘以 1.25 后,取其整数部分,就得到标准总分。

53 — 62 分为轻度;

63 — 72 分为中度;

73 分以上为重度。

每十位男性中就有一位可能患有抑郁;而女性则每五位中就有一位患有抑郁。抑郁症严重困扰患者的生活和工作,给家庭和社会带来沉重的负担。想要从中解脱,请看我们是如果为您解读抑郁症密码的。

这是非常常见的一类心理问题,心理科医生以"心理感冒"来说明它发生的普遍。对有这类心理问题的人来说,"郁闷"经常是他们的口头禅,这正表现了他们心理苦闷、郁郁寡欢的状态,这些人往往会感到生活没有意义,缺少活力,找不到生活下去的动力,对未来他们是悲观的,而经常自责使他们甚至会产生轻生的念头。

一般来说抑郁症是在受到失恋、意外事故等生活事件的刺激后发生的。例如老年人的黄昏心理,因为丧偶、子女离家工作、自身年老体弱或罹患疾病,感到生活失去乐趣,对未来丧失信心,甚至对生活前景感到悲观等,对任何人和事都怀有一种消极、否定的灰色心理,就属于这类疾病。

抑郁症的治疗方法不外乎三个方面:心理治疗、药物治疗和电休克(抽搐)治疗。药物治疗用来改变脑部神经化学物质的不平衡,包括抗忧郁剂、镇静剂、安眠药、抗精神病药物。药物方面的治疗,需要求助于精神专科医生。心理治疗主要是用以改变不适当的认知或思考习惯,或行为习惯,可以从根本上解决问题。心理方面的治疗,需求助于专业心理治疗人员（包括医疗机构的临床心理医生、临床心理学的博士或私人机构的专业心理治疗人员）。

较轻病例或许可以单用心理治疗；中重度的病例则可以心理治疗与药物治疗结合；至于严重病例，特别是有消极意图或行为，就应该到医院进行专门治疗。另外，多接受阳光与运动对于忧郁病人有正面的作用；多活动活动身体，可使心情得到意想不到的放松；养成健康的生活习惯，多吃一些食含钙类的食物，如黄豆及豆制品、红枣、柿子、韭菜、芹菜、蒜苗、鱼、虾、牛奶等，忌食酒类及咖啡等食品，对治疗抑郁症也有一定帮助。

二、焦虑症

这类心理问题的患者主要表现就是焦虑、紧张、心烦意乱、对未来很担心，对生活也会有不满情绪。一般来说，中考、高考前的学生和工作压力大的人群（如 IT 从业人员、白领）容易出现这类问题，另外一些不善于表达自己情绪的人也容易焦虑。

这类心理问题还会表现在躯体上，就是心慌，憋气，爱出汗，而且经常睡不着。如在青少年中常见的考试焦虑症。考试焦虑可以使孩子产生一些身体上的障碍，考试焦虑严重的孩子，常常在考前坐立不安、心神不定。如果经常有严重的考试焦虑，可能导致孩子形成胆怯、紧张、不安的个性心理特征。

有许多疾病可同时伴有焦虑表现，如甲亢、低血糖症等。焦虑还可以是其他精神障碍的症状表现之一。因此，病情较复杂的患者，要注意检查，准确地评估疾病类别、合并症、严重程度，自伤、自残、自杀及暴力的可能，以免延误治疗。

行为治疗主要是各种形式的松弛训练。年龄较大的学生可用生物反馈疗法，也可以认知疗法和支持性心理治疗为主，帮助消除各种不利因素。焦虑情绪可以转播，因此对有焦虑个性倾向的家人，要进行心理干预，帮助其认识本身的个性弱点及对其他人的不良影响。药物治疗主要应用抗焦虑药、抗抑郁药，也可同时应用中药。药物治疗需在医生指导下进行。适当的体育锻炼及户外活动，注意生活内容丰富多彩，生活安排有规律，也可以帮助缓解焦虑症。

三、人际交往困难

这类心理问题和人的性格关系比较大,在孩子中比较多见,但在其他年龄段也有。这类患者在人际交往中表现比较敏感,他们容易感到自卑,总以为别人看不起他们,特别在意别人的评价,因此这类心理问题很容易同时引发焦虑、抑郁等问题。还有的患者表现为特别以自我为中心,个性非常强,不在乎别人的感受,有的时候甚至以为别人都针对自己,容易猜疑别人,并且固执己见,表现很偏执,不愿听别人的意见。还有的患者表现得更为激烈,他们对周围的人和事有严重的敌对情绪,好与别人争论,容易冲动,甚至与别人打架,自己也喜欢摔东西、损坏物品。

青少年的人际关系主要包括亲子关系、师生关系及同学关系。与父母的关系处理不当,从而引起青少年不良的心理反应,这一现象较为普遍。尤其当孩子处于青春期而父母处于更年期之时,问题更为突出,部分孩子会产生压抑和抑郁,部分孩子则产生强烈的叛逆心理。包括教师对学生的不理解、不信任而使学生产生的对抗心理,以及教师的认知偏差等情况给学生造成的压抑心理,攻击行为等问题。更有甚者,如果教师对学生缺乏尊重,随意贬低孩子价值,这种不良态度会使孩子的心理遭到严重的创伤。与同学的交友和相处,可直接影响到青少年的学习生活质量。孩子们都希望在同学中有被接纳的归属感,寻求同学、朋友的理解与信任。如果同学关系不融洽,甚至关系紧张,有的同学就流露出孤独感。

造成人际交往障碍的原因也很多,例如认知障碍、人格障碍、情感障碍、能力障碍等,根据不同的成因,可以从以下几个方面着手:

首先,提高交往认识。交往水平和能力的提高,不源于交往正确的认识和正确的动机。社会的开放使得人与人之间的联系更加紧密,更加方便,又使人产生了众多的欲望和更高的情趣,只有扩大交往才能适应社会,只有积极地进行交往,才有利于人的智力和创造力的发挥,另外,交往也具有积极的社会功能和心理功能。

其次,学习交往艺术。(1)学会同心胸狭窄的人交往。(2)学会同生性多疑的人交往。(3)学会同性格孤僻的人交往。(4)学会同任性的人交往。(5)学会同犯过错误的和后进的人交往。

第三,加强心理调适。在人际交往中,自始至终存在着矛盾。当一方不能满足另一方的需求时,就会产主交往冲突。为解决交往冲突,必须加强心理调适。因此,我们说话时,特别是指出对方的问题、进行批评的时候要讲究方式方法,尽量使忠言不逆耳,含蓄一点,幽默、风趣一点,让人乐意接受,能够接受。

第四,培养交往能力。(1)培养语言能力。一要明确说话目的,自己要明白自己想说什么;二正确理解,理解说话者所说的意思;三要学会辨别。会说话必须先会听话,即听说话人话语的真伪,捕捉其真意和事实;四要敢于说话,克服恐惧情绪。(2)培养非语言"能力",非语言主要指人的面部表情、姿势、动作等。一句话,一个眼神,一个手势都要有利于感情的交流,都要得体,往往能起到意想不到的效果。

四、强迫症

这类患者虽然有时候明知有些想法或行为没必要,或是不应该做,但他们却控制不了自己,比如即使手很干净了也会反复洗手。因为他们根本没法控制自己。有一种观点认为这类患者是太过于追求完美了,而且心理上有不安感。而强迫症的发生对他们的情绪影响很大,也容易出现焦虑、抑郁,并导致他们的生活质量变差,甚至会影响他们的学习和工作。

强迫症的认知治疗,一般涉及强迫症状与生活事件、创伤体验;常用系统脱敏疗法、厌恶疗法和行为放松训练等。人格调整,以指导患者进行自我训练为主。有些症状表现内容涉及思想、道德、品行问题,应注意所表现的是症状内容,不要与品行不端混为一谈。在医生的指导下选择药物进行治疗。

五、情感障碍

双相情感障碍,又称躁狂抑郁症,是一种涉及一次或多次严重的躁狂和抑郁发作的疾病。这种疾病使人的情绪摇摆于极度高涨(或者易怒,或二者兼有)和悲伤失望之间,没有原因就特别高兴,处于一种亢奋状态,话多,爱动,精力特别充沛,人际交往特别活跃,但往往行事草率、鲁莽,有时脾气不好,很容易被激惹。后来的表现正好相反,就是抑郁。在这两种状态之间会存在情绪正常的时间。在美国,有两百万以上的人受到双相情感障碍的困扰。

双相情感障碍是非常多见的疾病,18 所以上的成人中有 1%~2%的人患有双相障碍,它通常在儿童晚期或成年早期发生,当然也有例外。

尽管各类用于治疗双相障碍的精神药物有了长足的发展,但双相障碍各种发作的急性期治疗及预防复发的疗效仍不尽如人意。应采取精神药物、躯体治疗、物理治疗、心理治疗(包括家庭治疗)和危机干预等措施的综合运用,其目的在于提高疗效、改善依从性、预防复发和自杀,改善社会功能和更好地提高患者生活质量。

由于双相障碍几乎终生以循环方式反复发作,其发作的频率远较抑郁障碍为高,尤以快速循环病程者为甚。因此,双相障碍常是慢性过程障碍,其治疗目标除缓解急性期症状外,还应坚持长期治疗原则以阻断反复发作。

由于双相障碍呈慢性反复循环发作性病程,而又需要长期治疗,为取得患者与家属的认同与合作,必须对他们双方进行相关的健康教育。这种教育应是长期的、定期的、或根据需要而安排。

六、多动症

多动症多发生于儿童身上,但是由于有些儿童天性活泼好动,所以很多人难以分辨儿童是否有多动症。一般来讲,多动症儿童活动常无目的性,活动多有始无终,杂乱无章,不停地变换花样,多动症儿童的行为常不分场合、不顾后果、无法自制;而正常顽皮儿童的多动受时间、地点以及环境因素的限制而有所约束,多动症儿童对有兴趣的和新奇的游戏及娱乐活动,也不能产生持久的注意,老师和家长对多动症儿童的劝说无效,屡教屡犯。

也有人认为多动症最多只是好动而已,并不是一种病,事实上轻微多动症儿童只是学习不能专心,不能主动学习,造成成绩下降;行为上不能自控,不服管束,被人歧视。重症多动症儿童甚至不能跟班,难以读完小学及初中。常惹是生非,干扰他人。随着年龄增长,因自控力较差,容易受不良影响和引诱,可发生打架斗殴、说谎偷窃,甚至犯罪。多动症儿童如果不及时治疗,成人后由于自控能力差,容易冲动,往往屡教不改成为惯犯,影响社会安定及人民人身和财产安全。因此对于多动症的治疗是必要的。

目前,多动症的病因虽不完全清楚,但多动症的发生和发展有生物学因素、社会因素及心理因素等多种因素的作用,因此,其治疗也需要从多方面进行,采取综合治疗。

药物治疗:目前常用的西药主要是一些中枢神经兴奋药,而不选用镇静剂。在用药物治疗时,由一过些药物都有一定的副作用,也需要结合小儿的年龄、体质、病程长短、轻重程度以及对药物的敏感性等全面考虑,而应用的剂量和用药的时间,也要考虑到个体的差异性,因此必须在专业医生的指导和随访中慎重用药。

环境及心理治疗:有专家指出,只有50%的患儿需要用药物治疗,改善儿童生存环境,消除小儿的焦虑和紧张以及悲观消极等情绪非常重要,家长、教师和医师密切配合,督导与适当的奖励是矫正行为障碍的重要手段,帮助多动的患儿认识自控能力差是可以锻炼的。

另外,饮食限制也有一定效果,患儿尽量不吃含甲基水杨酸盐类多的西红柿、苹果、桔子等食物,胡椒、辣椒等调味品也应尽量少吃。适量饮咖啡则对多动症有一定控制作用。

七、恐惧症

对恐惧对象的惧怕超出正常的状态,不合情理、不切实际,伴有心慌、脸红、出汗、颤抖等症状。严重时患者会感到透不过气来,几乎昏厥。患者对其行为有自我意识,表现过分关注。对于恐惧的对象极端排斥,但与家人或熟悉的人在一起时,表现正常。

形成恐惧症的原因很多,例如突发事件、令人害怕的经历、性格特征等都会引起恐惧症。有些老年人对外界社会反感,有偏见,从而封闭自己,很少与人交往,同时,也产生孤独无助的感觉,变得恐惧外面的世界。

在治疗过程中需要家人共同参与,改善家庭气氛和环境。促进家人沟通,排除不利因素,有助于病情缓解。严重的需要在医生的指导下采取适当的方法治疗,并配合以药物治疗。

八、品行障碍

青少年品行障碍,主要表现为:说谎、经常偷窃、逃离家庭在外过夜、反复挑起或参与打架斗殴、反复违背家规或校纪、曾被学校处罚(如留校察看、开除等)、过早有性活动且随便、习惯性抽烟与饮酒等。具体包括：

(1)不止一次地偷窃或伪造；

(2)在与父母或监护人同住期间，离家出走，至少有两次整夜不回家，或是一次出走而不再回家；

(3)经常说谎(不包括为了避免挨打等而说假话)；

(4)故意纵火；

(5)经常逃学(或旷工)；

(6)未经他人允许，擅自闯入别人的住宅、建筑物或汽车；

(7)蓄意毁坏他人的财务(不包括故意纵火)；

(8)残忍的虐待动物或他人；

(9)强迫他人与自己发生性行为；

(10)不止一次地在打架斗殴中使用凶器；

(11)经常主动地无端挑起斗殴；

(12)当着被害人的面行凶抢劫和敲诈勒索。

造成品行障碍的原因很多，例如父母角色不良，缺乏权威意识和责任感；亲子间缺乏正常的情感交流，子女多自卑、退缩，适应社会能力差；家庭教育方式不当，过分溺爱和迁就，或过分严格、虐待或粗暴；家庭成员道德水平低，缺乏良好的行为榜样，如酗酒、性犯罪等。

另外也有一些个体因素，如，在违法少年中，素质类型大致有：好交际、渴望刺激、冒险和情感易冲动的外向型个性特点；神经质、焦虑、不安、担忧、易激惹等情绪反应；孤僻、不关心他人，难以适应环境倾向。智能落后者的分析、判断、理解能力和自控能力均低，容易出现兴奋和情绪不稳，为了满足个人欲望可以发生离家、逃学、纵火等行为，并容易受人教唆而犯罪，等等。

对于品行障碍的矫正，可以通过应用日常经验原则、学习原则及行为规范等方法，矫正不良行为。鼓励他们参加合作游戏或集体游戏，并强化良性行为。遵医嘱进行行为治疗，如：正向强化法，即在良性行为之后加以强化，促进其适应社会和亲社会行为，消除不良行为；消退法，即用漠视、不理睬等消退方法来减少和消除儿童的不良行为。

九、网络上瘾

每天持续上网达 6 小时以上，不让上网就表现出急躁不安、行为反常等。

产生原因现实生活中没有满足感，在虚拟世界中寻求满足。性格内向，不善于与人沟通，人际交往能力较弱。兴趣爱好不广泛，社会活动不多。

治疗方法为，培养其广泛的兴趣爱好，转移注意力。改变现实生活状态，体验成功的愉悦。改善人际交往状况，丰富现实生活。

由于人的心理本就是一个非常复杂的系统，所以各种心理问题从成因到表现都呈现出模糊性和多变性。但是，一般说来，心理问题的治疗和预防有几点是需要注意的：

1、做好心理调节。可以说，每个人都会有一定的心理问题，心理健康的人在特定的环境和特定的时间也会产生心理问题，只是严重程度不同罢了。所以，即使是心理健康的人，平时也应当注重自我心理调节，例如培养积极的世界观，学会排解和舒缓压力等等。事实上很多人认为的"心理问题"其实并不是真正的心理问题，关键是这些症状的产生背景、持续时间、严重程度以及对个体和环境的不良影响如何，例如下列现象：

（1）疲劳感：通常有相应的原因，持续时间较短，不伴有明显的睡眠和情绪改变，经过良好的休息和适当的娱乐即可消除。

（2）焦虑反应：焦虑反应是人们适应某种特定环境的一种反应方式。但正常的焦虑反应常有其现实原因（现实性焦虑），如面临高考，并随着事过境迁而很快缓解。

（3）类似歇斯底里现象：多见于妇女和儿童。有些女性和丈夫吵架尽情发泄、大喊大叫、撕衣毁物、痛打小孩，甚至威胁自杀。儿童可有白日梦、幻想性谎言表现，把自己幻想的内容当成现实。这是由于中枢神经系统发育不充分、不成熟所致。

（4）强迫现象：有些脑力劳动者，特别是办事认真的人反复思考一些自己都意识到没有必要的事，如是不是得罪了某个人，反复检查门是否锁好了等。但持续时间不长，不影响生活工作。

（5）恐怖和对立：我们站在很高但很安全的地方时仍会出现恐怖感，有时也想到会不会往下跳，甚至于想到跳下去是什么情景。这种想法如果很快得到纠正不再继续思考，属正常现象。

（6）疑病现象：很多人都将轻微的不适现象看成严重疾病，反复多次检查，特别是当亲友、邻居、同事因某病英年早逝和意外死亡后容易出现。但检查如排除相关疾病后能接受医生的劝告，属正常现象。

（7）偏执和自我牵挂：任何人都有自我牵连倾向，即假设外界事物对自己影射着某种意义，特别是对自己有不利影响。如走进办公室时，人们停止谈话，这时往往会怀疑人们在议论自己。这种现象通常是一过性的，而且经过片刻的疑虑之后就会省悟过来，其性质和内容与当时的处境联系紧密。

（8）错觉：正常人在光线暗淡、恐惧紧张及期待等心理状态下可出现错觉，但经重复验证后可迅速纠正。成语"草木皆兵"、"杯弓蛇影"等均是典型的例子。

（9）幻觉：正常人在迫切期待的情况下，可听到"叩门声"、"呼唤声"。经过确认后，自己意识到是幻觉现象，医学上称之为心因性幻觉。正常人在睡前和醒前偶有幻觉体验，不能视为病态。

（10）自笑、自言自语：有些人在独处时自言自语甚至边说边笑，但有客观原因，能选择场合，能自我控制，属正常现象。

所以当身体出现一些状况时，先别定论自己或其他人"心理有问题"，很多现象通过自己的心理调节或者随着时间的推移，就可以自然消除的。

2、注意交流。很多心理问题，无论严重与否，都不是单单依靠自己能解决的，有时候自我思考过多反而会使人走进误区。在国外一些非常著名的心理医生也都有自己的心理医生。发现心理问题或者产生心理障碍时，选择与合适的人交流是必要的，而且很多心理问题也正是得不到沟通或者由误解而产生的。即使在交流中不能得到有益的建议或者不能解决问题，也可以通过这种交流来缓解一下情绪。

3、疏导而不是堵塞。当家人出现一些心理问题，尤其是青少年心理问题时，采取训斥、施压、强制等手段来强迫患者改变思想是一种非常错误的办法。青少年叛逆心理比较强，而且心理活动本就是难以直接测量的，采取强制手段或许能在一定时间内起到表面效果，但往往心理问题可能复发甚至变得更加严重。

4、及时就医。当心理问题比较严重，持续时间比较长，或者已经转化为心理疾病时，应及时就医。在医生的指导下采取正确的治疗方法和服药，切莫讳疾忌医或者自己胡乱治疗吃药，不正确的方法只能加重病情。

5、良好的环境。无论是轻微的心理问题还是心理疾病，无论就医与否，良好的生活环境（包括自然环境和家庭生活环境等等）和健康的生活习惯（饮食、作息、学习习惯等等），都有助于病情的缓解。

第六章
密码错误——健康保健的几大误区

我们常常将"健康"二字挂在嘴边,常常为"健康工程"忙得不亦乐乎。我们搜罗了各种各样有关健康的信息来武装自己,这个不能吃,那个不能用,随着健康保卫战的升级,我们的自由越来越少,渐渐沦为温室里的花朵。这个时候我们不禁要问,平时做的那些事情真是有益于健康的吗?我们是不是让我们的健康走入了误区呢?千万不要"聪明反被聪明误",把小道消息当成健康良言,把不利于健康的习惯当作健康习惯来遵守,结果让自己的身体在不知不觉中被伤害。

我们经常看到一些资料，今天说吃某样东西有益，明天却又说吃那样的东西有害，今天说某项元素保养，明天却又说这项元素致癌，到最后越是关注健康的人，越是不懂如何去健康，不知道该吃什么，不知道该怎么生活了。

造成这种现象的原因有很多，一方面一些所谓的有益和有害只是统计性的结果，例如统计出在吃某种食物的人中有多少发病率或者不发病率，对于某种食物中究竟是哪些成分对人体哪些系统起作用并没有详细的研究，这项统计数据也仅仅能作为参考作用而已，并不是盖棺定论。

另外就是有些食物属于既有害又有益的食物，简单地说是对人体某一方面有益，对某些系统却有害。比如蛋黄，我们说蛋黄中含有高胆固醇，许多人怕吃蛋黄。但同时蛋黄中诸多成分对身体有益，蛋黄中的卵磷脂可增强记忆力，改善人的精神状态，对预防老年痴呆有好处。蛋黄中尚存在一定的"好胆固醇"，对防治心脑血管病有益。对于一些生活条件优越的人来讲，吃高脂肪的食物有害，但是对于一些生活在较冷地区或者体力消耗较大者，脂肪的补充是十分必要的。

很多食物有益还是有害一直是一个争论不休的问题，其实不能说哪种食物绝对有益或者绝对有害，关键在于根据自己的身体需要，自身所处自然环境以及工作等特点，适当调配食物组合。还有就是要有正确的保健方法，例如我们说青菜中含有各种维生素，对人体有益，但是吃剩的青菜重新加热、油温过热至糊、吃变质的青菜等不正确的食用方法都会造成人体的损害。我们说瑜伽对人体好处多，但没有专业老师的指导，不当的练习方法，反而会造成人体肌肉或韧带等的损伤，这些都是方法不当所造成的。

还有一个很重要的问题，就是掌握"度"的问题。从辩证法的观点来看，任何一件事物都有其度，过了这个度，也就会发生质变，好的会变成坏的，有益的也就变成有害的了。比如说最近流行"喝水"，提倡水对人体有益，有些人就大量喝水，结果造成"水中毒"。比如"胆固醇"一词出来后被很多人视做不健康的标志，有些人把含胆固醇高的食物看做毒药。当然，血清总胆固醇和低密度脂蛋白胆固醇升高是冠心病和缺血性脑卒中的危险因素，但是，值得注意的是，也有研究资料显示血清总胆固醇过低，有可能增加出血性脑卒中的发病危险。也有调查显示，低胆固醇人群在体力方面逊色于其他人。我们说运动有益健康，但是一次做大量的运动或者运动过于剧烈，对人体各系统及精神都没有好处。很多运动员体格很棒，运动能力优于常人，但是往往会伤痛缠身，正说明了这一点。

所以说健康保健的时候，也要讲究一个度，"过犹不及"。不要盲目跟风，这一点是很重要的。

以上所说的是形成健康误区的一些原因，其实在前面的介绍中，我们已经将一些养生保健的误区说过了。为什么这里还要专门设立章节来讨论呢，就是因为养生保健的目的是为了健康生活，为了能够保持良好的身体和心理状态，为了能够延年益寿等，但是一旦走入养生的误区，花费了大量的时间和金钱，不仅不能达成养生的目的，甚至会对身体有害或危及生命，所以一些养生保健中的误区是需要特别注意的。下面我们介绍一些养生保健中常见的误区，供读者参考。

营养误区

误区一：吃生的蔬菜是有益的

一些素食者热衷于以凉拌或沙拉的形式生吃蔬菜，认为这样才能充分发挥其营养价值。实际上，蔬菜中的很多营养成分需要添加油脂才能很好地吸收，如维生素 K、胡萝卜素、番茄红素都属于烹调后更易吸收的营养物质。同时还要注意，沙拉酱的脂肪含量高达 60% 以上，用它进行凉拌，并不比放油脂烹调热量更低。

有些蔬菜，像豆荚类有天然的毒素，如果不适当地烹煮，就会引起腹泻和疾病。而经过 20 分钟的烹煮，它的毒素就会消除，成为对人体有益和安全的食品。其他的一些蔬菜像马铃薯，如果生吃就不易被吸收；西兰花在煮熟后就不会有苦味；煮熟的胡萝卜和西红柿含类胡萝卜素和番茄红素,利于身体的更快吸收。这些"抗氧化剂"已经被证明对身体有益。

误区二：越贵的食品越有营养

很多人都觉得贵的一定好。许多没有营养的食品包括一些所谓的营养品,在食品店内却卖得最贵,从市场情况来看,贵只能代表其"稀缺",不代表其一定更有营养。因此,你应该购买应季的产品而避免在超市购买加工的食品,因为最基本的食物总是最便宜却又最有营养的。

误区三：非胆固醇的食物是健康的选择,并对心脏有益

心脏病的罪魁祸首被认为是高胆固醇。但是请注意,许多完全没有胆固醇的食物可能有很多的脂肪,这对心脏的威胁反而更大。相反,例如鸡蛋的蛋黄虽包含胆固醇,但是它们的营养价值是非常丰富的。

误区四：脂肪对人体不好

脂肪摄取过多,人容易发胖,心血管疾病会增加。然而,在健康的法则中,不食用脂肪或脂肪过少,会导致人体高密度脂蛋白降低,引起情绪紊乱、消沉、打击和暴力的危险。

初步调查显示在牛奶中的脂肪对身体是非常有益的。在乳制品的脂肪成分中发现成对的亚油酸,它能够延缓某种癌细胞的生长并提高机体的免疫力。在乳制品中的鞘磷脂、丁酸和维生素 D 也有降低癌症危险的作用。

脂肪酸是对身体有益的另一种类型的脂肪。尽管它们是基本的营养成分,但是从身体中并不能得到,而必须从食物中获得。最好的来源是深海中的油性鱼,例如:鲑鱼、金枪鱼和鲭,以及深色叶子的青菜、亚麻子油和某些植物油。

此外,最近营养学调查表明,有益健康的不饱和脂肪和多不饱和脂肪分别发现于植物(鳄梨、橄榄树)、坚果中和植物油(玉米、大豆)中。

另外,脂肪也不仅是肥肉中才含有。一般来说,猪肉的瘦肉中的脂肪含量是各种肉中最高的,达 25%-30%,而兔肉最低,仅为 0.5%-2%。鸡肉(不带皮)的脂肪含量也比较低。牛肉的脂肪含量一般在 10% 以下,但如果是肥牛,即便是里脊部位也布满细细的脂肪点,脂肪含量甚至超过猪肉。

误区五：维生素的补充为保持身体的健康提供了保证

很多人补充维生素纯属跟风主义，根本不知道自身是否缺少维生素，盲目的补充，有时缺少的反而没补，而不缺的却过剩了，下面的测试有助于您检测自身是否存在缺少维生素的隐患。

健康自测：维生素缺乏症

1.指甲出现深刻明显的白线，头发枯干，皮肤粗糙，记忆力减退，心情烦躁及失眠。

评析：可能缺乏维生素 A。

2.对外界刺激比较敏感，小腿有间歇性的酸痛。

评析：可能缺乏维生素 B_1。

3.嘴角破裂溃烂，出现各种皮肤性疾病，手脚有灼热感觉，对光有过度敏感的反应。

评析：可能缺乏维生素 B_2。

4.舌头红肿，口臭，口腔溃疡，情绪低落。

评析：可能缺乏维生素 B_3。

5.舌苔厚重，嘴唇浮肿，头皮特多，口腔黏膜干燥。

评析：可能缺乏维生素 B_6。

6.行动易失平衡,身体时有间歇性不定位置痛楚,手指及脚趾酸痛。

评析:可能缺乏维生素 B_{12}。

7.伤口不易愈合,虚弱,牙齿出血,舌苔厚重。

评析:可能缺乏维生素 C。

单一补充维生素并不能保持你的健康。它们既不能制止食物中高含量的饱和酸、盐和糖所产生的负面影响,也不能提供对抗疾病的化学物质和在水果、蔬菜和全麦食物上含有的纤维素。

保持健康最好的方法是均衡的膳食、参加定期的运动、保证充足的睡眠和减轻压力的技巧。每天食用复合维生素和矿物质来补充身体的需要是可以的,但是大剂量就不好了。过量的维生素和矿物质会导致中毒,例如肝、肾和神经的损坏,甚至会导致死亡。

同样的,也不能偏重于肉蛋的饮食而忽略蔬菜。各类食物都有其营养素含量高的方面,鱼肉蛋中含蛋白质、脂肪比较丰富,蔬菜中含维生素、矿物质比较丰富,粮食中含碳水化合物和 B 族维生素比较丰富。人体需要全面平衡的各种营养素,不能只偏重蛋白质和脂肪的摄入,而忽视维生素和矿物质的摄入。

误区六:"天然"食品对健康更有好处

这是一个极大的错误。自然界中有许多物质含有剧毒,食品化学分析也发现,许多纯天然食品中都含有有害物质。例如,生豆角中有溶血物质,发芽土豆中有毒素,某些鱼类中含有胺等可能导致中毒的物质,等等,如果对这些食品处理不当就会发生危险。

尽管在商店或药店里购买的那些未经加工的天然食品或药品可能会是安全的,但你并没有得到这方面的保证。很多维生素补给品、矿物质补给品和中草药补品虽然都被标明是"纯天然食品",但它们中各种物质的含量却不一定符合规范,因此也就不能保证是安全的或有效的。

各种"天然"营养补充药现在在商店或超市的食品柜都可以买到，要知道，将这些补品当作食品和药物是完全不同的概念。所以对于一些"天然营养补品"，购买或服用之前，可以找相关医护人员先咨询一下。

误区七：没有咸味的食品就不含盐

盐是氯化钠，然而除此之外，钠还有各种化合物形式。因血液中含有大量的钠离子，所以动物性食品毫无例外都含较多的钠。此外，加工食品中也含有大量的钠。因此即使您吃没有咸味的食品照样可以获得不少钠。

误区八：米越白，质量越高

米的洁白程度和米外层的米糠去除程度有关，米糠去除程度越高，虽然米是白了，但营养损失亦越多。米糠中含有丰富的 B 族维生素和膳食纤维，米的胚芽含有维生素 E 和多不饱和脂肪酸。

经常食用精白米的人容易发生维生素 B_1 和维生素 B_2 的缺乏，因此，米不是越白越好。

误区九：加了添加剂的食品一定有害

比起烟和酒来，食品添加剂对健康成年人造成的危害要小得多。不是说含有添加剂的食品一定会对人体危害，只要遵守国家有关限量规定，现在允许使用的添加剂都是相当安全的，而且总的来说利大于弊。有条件的话当然可以尽量少吃，但也没必要把添加剂当成毒药。

误区十：快餐营养丰富

营养学家认为，快餐高热量、高脂肪，缺乏绿色蔬菜，膳食纤维不足，营养不平衡。其他品质的快餐也存在相似的问题。经常食用，势必会带来营养不良的后果。

误区十一：肉骨头汤补钙

很多骨折的病人喜欢用肉骨头汤补钙，其实肉骨头汤中含钙量并不高。有人实验，用 1 公斤肉骨头煮汤 2 小时，汤中的含钙量仅 20 毫克左右，但肉骨头汤脂肪含量很高，因为有骨髓。

成人每日需要的钙推荐摄入量为800毫克,骨折的病人需要更多,用肉骨头汤补钙是远远不能满足需要的,应当用牛奶或钙制剂补钙。

误区十二:肾结石的病人不能补钙

肾结石大多是草酸钙在尿中沉积,主要是草酸摄入过多,在泌尿道排出时与钙结合成草酸钙沉积形成肾结石。防治肾结石的关键是减少摄入含草酸多的食物如菠菜、竹笋、茭白等;这些食物应少吃,吃时应煮沸,去除草酸含量。流行病学的人群资料亦表明钙摄入量多的人群比钙摄入量少的人群,肾结石的发生率要低。

一般居民膳食中钙摄入是不足的,应当增加钙的摄入,钙在消化道内增加,与草酸形成草酸钙,减少草酸的吸收,也减少肾结石的发生。

误区十三:少吃荤油,多吃素油

人群调查和实验证明,动物脂肪摄入量高的人,心血管疾病发病率较高,植物油摄入量高的人,心血管疾病发病率确实低一些,但奇怪的是,两类人的寿命并没有大的差别。经调查,原因是植物油摄入高的人癌症发病率比较高。如果多吃植物油,最好能够补充摄入维生素E等抗氧化物质。素油亦是脂肪,脂肪摄入过多,易造成肥胖、高血脂、高血压、脂肪肝等疾病,对心血管反而不利;且素油中多不饱和脂肪酸容易被氧化,成环氧化合物,有害于人体健康。

素油摄入也不宜过多,成人每日摄入量宜在20-25克,选择含单不饱和脂肪酸比例较高的植物油,如橄榄油或茶油为佳。

误区十四:饥饿使人长寿

的确很多理论证明保持一定的饥饿度有利于人体健康。但是,有人认为可以净化身体和延年益寿的"饥饿疗法"就是一种极端了,适当的饥饿度并不代表一定要长期处于饥饿状态。饥饿影响智力劳动和造成肠胃不适,身体各系统营养和能量供应不足,就容易产生各种身体问题。

减肥误区

体重是一个人能否长寿的决定原因之一，这是美国肥胖症学者的研究结论。一般人追求苗条，是为了美化自己，增加自己的丰采和塑造受人欢迎的形象；但苗条的身材，不只是受人欢迎，更是一个人寻求健康和长寿的必要条件之一。

您的体重是否标准呢？以下有个计算公式，您不妨先算算看自己是否符合理想体重，再来决定自己是否需要减肥！

健康自测：体重标准

男性的理想体重 = 50 公斤 + ［2.3 公斤 x（身高厘米 − 152）］/2.54

女性的理想体重 = 45.5 公斤 + ［2.3 公斤 x（身高厘米 − 152）］/2.54

当人们不再为每日必需的碳水化合物辛苦劳作后，却又为身体中日益增长的脂肪而发愁。减肥这个词逐渐成为当代社会的热门词汇，各种减肥理论和方法也层出不穷，甚至有人希望自己得厌食症来达到减肥的目的，这就走入了一个非常危险的误区，世界上每年因为减肥而患上厌食症，导致极度贫血甚至死亡的人很多。人们盲目追求减肥效果而置身体健康于不顾，就产生了许多减肥误区：

误区一：不吃早餐

不少节食者误以为不吃早餐即意味着摄入热量减少，因而一定有助于减肥。但其实这会导致消化系统功能紊乱，对人体健康弊多利少。

误区二：绝对不吃脂肪食品

前面也说过脂肪对人体的必要性，不吃脂肪食品可减少身体对脂肪的摄入，但物极必反：如绝对排斥脂肪食品，人即会变得情绪低落、疲乏嗜睡、皮肤枯涩，影响身体各项功能。

另外，不吃脂肪不代表就不会发胖。美国人大多都吃低脂食品，但他们中的许多人仍越来越胖。美国通过一次全国范围内的调查发现，在过去14年里，尽管已通过各种手段将食物中的脂肪降低了7%，但体重超重的人数却增长了9%。即使你以低脂肪食品代替高脂肪食品，你的体重仍有可能增加。

单纯性肥胖的主要原因是能量摄入过多，消耗太少，能量在体内转为脂肪积聚，形成肥胖。产生能量的三大营养素是蛋白质、脂肪、碳水化合物。脂肪1克可产生9千卡能量，蛋白质和碳水化合物1克可产生4千卡的能量。即使你不吃脂肪食品，但你极有可能会在"低脂"的迷惑下让自己无所顾忌地吃些其他热量较高的食品，仍然会导致肥胖。减少食物中的脂肪是正确的，但如果你正在瘦身，那么除了注意脂肪量以外，你还应该了解自己身体每日的热量需求，计算每日摄取的热量总量。

误区三：参加运动一定有助健康

减肥时可以适当加大运动量，但切忌给身体太大的负担，如果运动量过大，往往反而有损健康。此外有些运动项目若事先不作热身活动，也极容易使得身体某些部位受伤。

误区四：摄入高纤维素食物多多益善

高纤维素食物很耐饥饿，有利于减肥，但吃得太多不易消化，甚至导致便秘。

误区五：鱼肉、鸡肉的胆固醇含量比猪肉要低

其实并非所有鱼肉的胆固醇含量都低，如鱿鱼的胆固醇含量就相当高。此外，鸡翅等带鸡皮的鸡肉所含的胆固醇也较高。

误区六：减肥愈多愈好

体重减轻应有限度，一般来说，减肥后的新体重不应低于 21 岁时保持一年之久的最低体重。

肥胖老人不宜通过限食过快地减肥，应结合饮食习惯逐渐进行，并长期坚持。迅速减肥，可致心悸、头晕、乏力，甚至发生低血压、低血糖、高血酮症。

误区七：节食总是好的

其实这也不是绝对的——节食过度或过久会引起营养不良，继而导致抵抗力的全面减弱。有些人更因为减肥过度得了厌食症，导致极度贫血甚至死亡。

误区八：肥胖者都应该减

导致肥胖的原因很多，有些是由于生理疾病引起的。要视肥胖的原因而定，如果是疾病造成的，不应盲目减肥，应治病为先，减肥在后，否难以取得减肥效果，反而有可能危害生命。

性健康误区

中国文化中，历来都是谈性色变的，认为不入大雅之堂。很多人认为正是这种文化传统造成了当今青少年性教育的苍白和中国人性知识的匮乏，以至于大多数人都存在着不同程度的性误区。事实上，这个问题不仅在中国有，在世界上许多国家也都存在着。正确对待性健康，走出性健康的误区，不仅能够保持良好的身体状况，而且对家庭的美满以及个人心理健康也都极其重要。

误区一：如果得了性病，一定会有感觉

这是一个大错特错的认识。很多性传播疾病(例如乳头瘤病毒、衣原体感染、疱疹等)，常常是悄无声息地危害人体，患者本人没有异常感，相对于男性，这类疾病在女性身体中则更为隐蔽，也更不容易及时发现。

如果没有及时治疗，性传播疾病会殃及女性身体其他器官。例如：乳头瘤病毒可能引起宫颈癌；衣原体感染会引发盆腔炎从而导致不孕。

误区二：通过了妇科常规检查就说明自己没问题

美国一家卫生机构调查到：大部分女性对性病一无所知；仅仅 1/4 的女性略微了解一点衣原体感染(一种最常见的性传播疾病)，能够导致不育；近一半妇女认为，无论身体出现什么问题，每年一次的常规体检都能查出来——遗憾的是，事实远远不是这样。

在中国，这种情况更为普遍。在妇科门诊中，只有寥寥无几的人主动提出要求，请医生做性传播疾病的化验检查。

千万不要完全寄希望于常规妇科检查，如果怀疑自己患性传播疾病，即使可能性极微，也要及时通知医生，并把所有症状原原本本地告诉他，例如：异味分泌物、排尿疼痛、水泡等等。

误区三：不射精就不会怀孕；经期同房也不会怀孕

体外射精的避孕方法是相当危险的。每年都有无数的妇女因此而意外怀孕。通过体外射精来避孕是最危险的方法，在有众多安全而有效的避孕方法的今天，这种方法就更显得愚蠢。你可以通过荷尔蒙避孕药、避孕膜、避孕套、灭精子洗液等多种方法来达到避孕的效果。当然，这些方式也不是百分之百能够避孕的，但有总比没有好。

男性在"前戏"中分泌的润滑液(前列腺液)，就含有一部分精液。而且，在高潮前抽出体外，很难保证万无一失。事实上，大部分男人都有漏精现象，而且精子的数量和活动能力足够造成怀孕。如果不进入阴道而在外阴部射精，也不是没有怀孕的可能。活跃的精子可能进入阴道并继续向子宫运动。

另外，一般人认为，月经期行房不用担心怀孕。但事实是：确实有经期行房而怀孕的先例。这是因为不规则排卵造成的。大部分妇女在月经开始后的第 14 天左右排卵，但如果排卵期提前，再加上精子生命力旺盛，则很可能造成怀孕。男性一次射精的平均数量约为 3 亿个精子，这些精子可以在女性体内生存 7 天左右，如果再加上女性提前排卵，就十分有可能怀孕。所以，即便是经期，也要采取必要的避孕措施。

误区四：持续服用避孕药不仅能让月经停止，还能降低患乳腺癌的危险

只说对了前半句。我们知道，连续服用避孕药可使月经暂时停止。而且从相关记载来看，月经次数少的女性患乳腺癌的比率低，但这并不像一加一等于二那么简单。实际上，持续服用避孕药并不能减低患乳腺癌的几率，原因在于：

是否患乳腺癌，取决于雌激素分泌水平。远古社会的女性很少会得乳腺癌，因为那时的女性刚过青春期就开始生育，而且一生中要经历好几次怀孕。在怀孕期和哺乳期，卵巢处于休息状态，不再分泌雌激素。而女性体内雌激素水平越低，患乳腺癌的几率就会越低。因此从纯生理学上讲，妇女越早开始生育越好。但是，现代社会我们的生育年龄大大推后了。

有一种误解，认为持续服用避孕药能降低患乳腺癌的危险。事实恰恰相反，服用避孕药不能降低体内的雌激素水平，还将增加雌激素的含量。所以，从纯理论上说，应该是增加了患乳腺癌的危险，但从现实的调查数字中找不到这两者有什么必然的关系，长期服用避孕药的妇女也不用太担心。而且，现代科技研制出的避孕药，雌激素含量已经比从前降低许多。

误区五：使用避孕工具就不会感染性传播疾病

在众多的避孕工具中，只有避孕套有这种双重功能，既可避孕，又可以防止感染性病。下面是对几种避孕工具的抗性病能力的分析：

1、口服避孕药：对防止感染性传播疾病无能为力。

2、子宫帽、宫内隔膜：对输卵管有些保护，而对阴道的保护能力则很不够。

3、宫内避孕环:这种避孕方式实际上增加了妇女患性传播疾病的危险,因为不再需要其他的保护就可以防止受孕。

4、绝育手术:减少患盆腔炎的危险,但子宫颈和阴道染病的危险仍然存在。

误区六:口服避孕药对身体有害

对于吸烟的女性来说,口服避孕药确实有一定的危害,她们可能会成为心脏病、中风等疾患的牺牲品,而不吸烟的女性则完全不必担心这个问题。

美国医疗机构的调查:服避孕药的女性患卵巢癌的几率比不服药的妇女低40%~60%,患子宫内膜癌的几率低50%,患卵巢囊肿的几率也相对降低。口服避孕药对预防盆腔炎也有帮助,因为定期服药使得子宫颈粘液变稠,这样便阻碍了细菌的滋生。还有,口服避孕药减少宫外孕的危险,对于妇女更年期出现的骨质疏松问题也有帮助。

如果你打算使用避孕药物,提醒你注意:

1、如果你有心脏病、中风和心血管疾病的家族病史,或是曾患乳癌、子宫内膜癌或肝脏疾病,最好改用其他的方式。

2、如果你年龄在35岁以上而且吸烟,也建议采用其他方式避孕。

3、避孕药物不能与抗生素同服,因为会影响药性,导致避孕失败。

4、避孕药要服用一个完整的周期后才能停药,不然会造成月经紊乱。

误区七:宫颈癌发病与"不良作风"有关

在传统观念里,宫颈癌的发病总是与"不良作风"有关系,人们认为有不洁性行为的女人才会患这种病。其实,任何有性生活史的女性都有可能患子宫癌。因为宫颈癌可防可治,所以有过性生活史、18岁以上的女性至少每年要做一次宫颈筛查。

误区八:ED不用治

男人在性健康方面最大的误区是认为ED(性功能勃起障碍)不用治,也治不好。因为人们普遍认为,年轻人的性生活是疾风暴雨型的,但年龄大了理应变得和风细雨,出现 ED 也正常。但实际上,五六十岁的中老年人仍可以每隔 10 天、半个月进行一次性生活。

误区九:太小的阴茎会影响性爱的质量

实际上阴茎的尺寸大小并不重要,重要的是你怎么运用它。阴茎的尺寸是千差万别、因人而异的,阴茎大小并不与性高潮划等号。有的男子常常认为自己阴茎"小",会影响性生活,一般阴茎长 7~10 厘米,在阴茎充分勃起后,增长 1 倍以上,而且小阴茎勃起时增加的比例会比大阴茎勃起时增加的比例要大得多。

即使是阴茎在疲软时小如孩童的人,在勃起时的尺寸也可能是惊人的。有时候,女伴也会抱怨过大的阴茎会引起性交痛,感觉仿佛它触及子宫口(阴道的顶部)——甚至可能会引起子宫流血。

误区十:男性病 = 泌尿疾病 = 性病

性病和男性病、泌尿疾病的概念都不相同。性病是性传播疾病的简称,是由不洁性交或不洁性行为引起的一种全身性传染的一组炎症性疾病,包括梅毒、淋病、软下疳、性病性淋巴肉芽肿、非淋菌性尿道炎、尖锐湿疣、生殖器疱疹、艾滋病等 20 多种疾病;男性疾病是指阳痿、早泄、男性不育、前列腺增生等;泌尿疾病则是肾脏、输尿管、膀胱和尿道等泌尿器官发生的疾病,例如炎症、肿瘤、药物损害等。

误区十一:对同性有性幻想是不正常的

无论性别和年龄,拥有同性恋幻想是百分之百正常的。事实上,如果一个人说他从来没有过同性幻想才是更加可怕和令人担忧的。许多人都存在这样的担心:同性幻想证明他们有同性恋倾向,尤其是十多岁的青少年会在这个问题上苦恼不已。但事实上仅仅从性幻想是无法推断出一个人的性取向的,二者并没有什么必然联系。

如果你认为自己是同性恋,同性幻想会引导你进入有趣的自我认识阶段;如果你认为自己不是,就把它当作一个奇怪的梦吧,别再想太多。总之,为此感到罪恶和肮脏是大可不必的。它并没有伤害到任何人不是吗?所以,顺其自然吧,放松,闭上双眼,享受它吧。

误区十二：没有享受到性高潮就说明性爱不够完美

在每次性爱中，男性一般都会达到高潮，但女性却并非如此——可能不是每次都有高潮，也可能高潮不明显，或者基本上没有过高潮。但那并不表示性爱就不够完美，更不表示享受到的性爱欢愉就比别人少。享受性爱可以通过不同的方式，可以是亲吻、爱抚、呢喃，而并不仅仅只有达到高潮的一瞬间。

一个悲哀的事实是人们常常会因为一味追求高潮的压力而无法享受到真正的欢愉。从生理角度讲，其实女性并不一定要达到高潮，因为是否有性高潮并不影响生育，它只是纯粹的感官欢愉而已。女性通常有两种高潮的形式——阴蒂高潮和阴道高潮。大部分女性只能感受到阴蒂高潮——其中很多人终身也感受不到阴道高潮。如果你在达到性高潮上有困难，可以咨询一下医生。但是，请记住一点——你没必要一定通过天崩地裂般的高潮来享受性爱的欢愉。

误区十三：阴茎勃起后就一定要射精，否则会对身体有害

大部分时候，阴茎的勃起都是由性冲动引起的。但也并不全是如此。一个男人在夜晚熟睡时会有多次自然勃起，会在清晨醒来时勃起。

误区十四：每天手淫是沉迷于性的标志

超过90％的男性和75％的女性都有过手淫的经历，如果那就是沉迷于性的标志，岂不是大部分人都有问题？当然，如果每天手淫也有些过度，但那并不见得就是沉迷。每个人的性冲动是不同的，有些人的确需要每天手淫来释放自己。一般来说，十来岁的青少年每周会需要3-4次手淫，而成年人需要1-2次。

误区十五：射精对身体健康不利

传统观念有"一滴精等于十滴血"、"射精会大伤元气"之说，认为把正常的精液射出有害身体。这种错误的认识，给男子精神上带来巨大负担，久之出现恐惧，有可能引起不射精或逆行射精等性功能障碍。实际

上，射精是一种正常的生理现象，不仅不会大伤元气，而且有利于健康。射精还有利于疾病的康复，如慢性前列腺炎。

误区十六：在热浴中做爱是一种非常好的做爱方式

长时期以来，许多情侣都喜欢这种鸳鸯戏水的性爱方式，以为这样能使伴侣更加水乳交融。但事实上，浴室中浑浊的空气和过高的湿度、温度都会令人产生不适感，呆的时间过长还会引起恶心、缺氧，甚至有可能产生昏迷，那就非常危险了。

一些不利于健康的生活习惯

最后简单的列举一些日常生活中不良的生活习惯，希望能引起一些注意。

1、不吃早餐

不吃早餐的人则通常饮食无规律，不仅会伤害肠胃，使人在一上午繁忙的工作中感到疲倦、胃部不适和头痛；天长日久就会造成营养不良、贫血、抵抗力降低，并会产生胰、胆结石；同时又极易催人老。

2、饭前剧烈运动

空腹做一些剧烈运动会增加心脏和肝脏的负担，而且极易引发心律不齐，甚至有可能导致猝死。

3、饭后松裤带

饭后松裤带可使腹腔内压下降，消化器官的活动与韧带的负荷量增加，从而促使肠子蠕动加剧，易发生肠扭转，使人腹胀、腹痛、呕吐，还容易患胃下垂等病。

4、饭后即睡

饭后即睡会使大脑的血液流向胃部,由于血压降低,大脑的供氧量也随之减少,造成饭后极度疲倦,易引起心口灼热及消化不良,还会发胖。如果血液原已有供应不足的情况,饭后倒下便睡,这种静止不动的状态,极易招致中风。

5、用塑料布做餐桌布

多数塑料布是由含毒的游离体聚氯乙烯树脂制成,餐具经常接触这种有毒物质,会使人慢性中毒。

6、醉酒后饮浓茶

茶中的咖啡碱与酒精反应后会产生不良作用,加重醉酒人的痛苦。

7、饱食

饱食容易引起记忆力下降,思维迟钝,注意力不集中,应激能力减弱。经常饱食,尤其是过饱的晚餐,因热量摄入太多,会使体内脂肪过剩,血脂增高,导致脑动脉粥样硬化。还会引起一种叫"纤维芽细胞生长因子"的物质在大脑中数以万倍增长,这是一种促使动脉硬化的蛋白质。脑动脉硬化的结果会导致大脑缺氧和缺乏营养,影响脑细胞的新陈代谢。经常饱食,还会诱发胆结石、胆囊炎、糖尿病等疾病,使人未老先衰,寿命缩短。

8、空腹吃糖

越来越多的证据表明,空腹吃糖的嗜好时间越长,对各种蛋白质吸收的损伤程度越重。由于蛋白质是生命活动的基础,因而长期的空腹吃糖,更会影响人体各种正常机能,使人体变得衰弱以致缩短寿命。

9、吃太咸的食物

钠离子在人体内滞留,容易形成或加重高血压和心脏病。

10、起床先叠被

人体本身也是一个污染源。在一夜的睡眠中,人体的皮肤会排出大量的水蒸气,使被子不同程度地受潮。人的呼吸和分布全身的毛孔所排出的化学物质有 145 种,从汗液中蒸发的化学物质有 151 种。被子吸收或吸附水分和气体,如不让其散发出去,就立即叠被,易使被子受潮及受化学物质污染。

11、留长胡子

胡子具有吸附有害物质的性能。当人吸气时,被吸附在胡子上的有害物质就有可能被吸入呼吸道内。据对留有胡子的人吸入的空气成分进行定量分析,发现吸进的空气中含有几十种有害物质,其中包括酚、甲苯、丙酮等多种致癌物,留有胡子的人吸入的空气污染指数,是普通空气的 4.2 倍。如果下巴留有胡子,又留八字胡,其污染指数可高达 7.2 倍。再加上抽烟等因素,污染指数将高达普通空气的 50 倍。

12、跷二郎腿

跷二郎腿会使腿部血流不畅,影响健康。如果是静脉瘤、关节炎、神经痛、静脉血栓患者,跷腿会使病情更加严重。尤其是腿长的人或孕妇,很容易得静脉血栓。

13、眯眼看东西、揉擦眼睛

眯眼看东西,眼角易出现鱼尾状皱纹。习惯性眯眼还可使眼肌疲劳、眼花头疼。揉眼时,病菌会由手部传染眼睛,导致发炎、睫毛折断或脱落。

14、强忍小便

强忍小便有可能造成急性膀胱炎,出现尿频、尿疼、小腹胀疼等症状。美国科学家发布的一份研究报告指出,有憋尿习惯的人患膀胱癌的可能性比一般人高 5 倍。憋尿时,膀胱贮存的尿液不能及时排出,形成人为的尿潴留。如经常憋尿,就会使括约肌和逼尿肌常常处于紧张状态;如果憋尿时间过长,膀胱内尿量不断增加,还会使内压逐渐升高,时间长了就会发生膀胱颈受阻症状,造成排尿困难、不畅,或漏尿、尿失禁等毛病。在尿潴留时还易引起并发感染和结石,严重时还影响肾功能。

15、伏案午睡

一般人在伏案午睡后会出现暂时性的视力模糊,原因就是眼球受到压迫,引起角膜变形、弧度改变造成的。倘若每天都压迫眼球,会造成眼压过高,长此下去视力就会受到损害。

16、俯睡

俯睡使脊柱弯曲,增加肌肉及韧带的压力,使人在睡觉时仍然得不到休息。此外,还会增加胸部、心脏、肺部及面部的压力,导致睡醒后面部浮肿,眼睛出现血丝。

17、睡前不洗脸

留在脸上的化妆品不洗掉,会引起粉刺和针眼之类的炎症,还能使眼睛发炎,引起皮肤过敏反应。

18、睡前不刷牙

睡前刷牙比起床后刷牙更重要,这是因为遗留在口腔中和牙齿上的细菌、残留物在夜里对牙齿、牙龈有较强的腐蚀作用。

19、睡懒觉

睡懒觉使大脑皮层抑制时间过长,天长日久,可引起一定程度人为的大脑功能障碍,导致理解力和记忆力减退,还会使免疫功能下降,扰乱机体的生物节律,使人懒散,产生惰性,同时对肌肉、关节和泌尿系统也不利。另外,血液循环不畅,全身的营养输送不及时,还会影响新陈代谢。由于夜间关闭门窗睡觉,早晨室内空气混浊,恋床很容易造成感冒、咳嗽等呼吸系统疾病的发生。

20、热水沐浴时间过长

在自来水中,氯仿和三氯化烯是水中容易挥发的有害物质,由于在沐浴时水滴有更多的机会和空气接触,从而使这两种有害物质释放很多。据收集到的数据显示,若用热水盆浴,只有25%的氯仿和40%的三氯化烯释放到空气中;而用热水沐浴,释放到空气中的氯仿就要达到50%,三氯化烯高达80%。

21、赌博

赌博之所以有害于一个人的身心健康,是因为赌博本身是一种强烈刺激,长期进行赌博,可使中枢神经系统长期处于高度紧张状态,容易引起激素分泌增加,血管收缩,血压升高,心跳和呼吸加快等,会增加心血管疾病的发病率,还会患消化性溃疡和紧张性头疼。

22、生活过度紧张

从事脑力劳动和做生意的一些中青年人,生命机器在整日超负荷运转,由于他们在心理上的竞争欲强,在生理和心理方面皆承受着巨大的压力。过度的脑力和体力劳动后,随之而来的是抗疲劳和防病能力的减弱,进而可能引发多种疾病。

23、睡前不洗脸

由于面部皮肤上的化妆品和污垢会刺激皮肤、堵塞腺体或毛孔,损害皮肤健康,因而睡前洗脸不应被忽视。

24、鱼刺卡喉后喝醋

醋非但不能排除鱼刺,相反还可能引起粘膜蚀伤、食管水肿。

25、药片掰开后服用

药片掰开后会出现棱角而不利于吞咽,容易损伤食管和肠胃。

感谢您仔细阅读了本书,相信本书已经为您的健康养生带来一些正确的指导。最后,我们为您准备了一个测试题,让您知道您是否具有长寿的潜质。愿您永葆青春!

健康自测:长寿指数

据英国《太阳报》消息,美国的科学家珀尔通过研究各种对人体有益的举止和对身体不利的行为后,并根据医学方面的临床经验,总结出计算大致寿命的公式。如果您是一位男性,请以86岁作为基数,依次回答以下问题并计算;如果您是一位女性,请以89岁为基数。

1.结婚:婚姻生活会让男性的寿命延长3年,对女性则没有影响;

2.压力过大:过大的压力会使寿命缩短3年;

3.与亲人长期分离:寿命减少0.5年;

4.每天睡眠时间少于6小时:休息不好寿命减少一年;

5.超负荷工作:过量劳作,寿命减少一年;

6.认为自己可能病了,或觉得自己老了:寿命减少一年;

7.每天抽10根烟:寿命减少5年;每天抽40根烟:寿命减少15年!

8.每天饮茶一杯:寿命延长0.5年;每天饮用含咖啡因的饮品:寿命减少0.5年;

9.每天饮用啤酒超过3杯/含酒精的饮品超过3杯/4杯白酒:寿命减少7年;

10.不刷牙:卫生习惯不好,寿命减少一年;

11.不采取任何防晒措施/频繁晒日光浴:寿命减少一年;

12.肥胖:寿命减少5年;

13.每天食用未完全煮熟的肉:寿命减少3年;

14.经常食用垃圾食品:寿命减少2年;

15.喜食不健康、无营养的快餐:寿命减少一年;

16.每天不止一次吃甜食:寿命减少一年;

17.体育锻炼:长期不活动,寿命减少一年;每天锻炼至少30分钟:寿

命增加 5 年;

18.不能保证至少每两天一次大便:寿命减少 0.5 年;

19.定期做身体检查,避免癌症:寿命增加一年;

20.血压有点偏高:寿命减少一年;血压高:寿命减少 5 年;血压非常高:寿命减少 15 年;体内胆固醇高:寿命减少 2 年。